DANÇAR TANGO EM PORTO ALEGRE

e outros contos escolhidos

SERGIO FARACO

DANÇAR TANGO EM PORTO ALEGRE

e outros contos escolhidos

Prêmio Nacional de Ficção 1999
Academia Brasileira de Letras

www.lpm.com.br

L&PM POCKET

Coleção **L**&**PM** POCKET, vol. 137

Texto de acordo com a nova ortografia

Primeira edição na Coleção L&PM POCKET: outubro de 1998
Esta reimpressão: março de 2020

Capa: L&PM Editores quadro *Compartment C, car193* (1938) de Edward Hopper
Revisão: Sergio Faraco

ISBN 978.85.254.0939-3

F219d	Faraco, Sergio, 1940-
	    Dançar tango em Porto Alegre. – Porto Alegre: L&PM, 2020.
	    160 p. ; 18 cm – (Coleção L&PM POCKET)
	
	    1. Ficção brasileira-Contos. I.Título. II. Série
	
	                          CDD 869.931
	                          CDU 869.0(81)-34

Catalogação elaborada por Izabel A. Merlo, CRB 10/329.

© Sergio Faraco 1998

Todos os direitos desta edição reservados a L&PM Editores
Rua Comendador Coruja, 314, loja 9 – Floresta – 90.220-180
Porto Alegre – RS – Brasil / Fone: 51.3225.5777

Pedidos & Depto. Comercial: vendas@lpm.com.br
Fale conosco: info@lpm.com.br
www.lpm.com.br

Impresso no Brasil
Verão de 2020

Sumário

I
Dois guaxos/ 9
Travessia/ 15
Noite de matar um homem/ 22
Guapear com frangos/ 30
O voo da garça-pequena/ 41
Sesmarias do urutau mugidor/ 52

II
A língua do cão chinês/ 67
Idolatria/ 70
Outro brinde para Alice/ 74
Guerras greco-pérsicas/ 78
Majestic Hotel/ 82
Não chore, papai/ 86

III
Café Paris/ 93
A dama do Bar Nevada/ 99
Um aceno na garoa/ 110
No tempo do Trio Los Panchos/ 120
Conto do inverno/ 125
Dançar tango em Porto Alegre/ 132

O Autor / 153

PRIMEIRA PARTE

Dois Guaxos

Refrescara um pouco, brisas da noite se espojavam entre os cinamomos e do matinho atrás das casas vinha o chiado baixo da folharada sacudindo. Passava da meia-noite. Sentado no costado do rancho, na terra, Maninho não cessava de apalpar o punhal que desde cedo trazia ao alcance da mão. Cabeceava, mas não queria dormir: se fechava os olhos, via o parreiral, o pelego branco, Ana, e o bugre naquele assanho de cavalo. Que tormento.

Frestas de luz no galpão de barro, zum-zum de conversa e risos, era seu pai que estava lá, com o Cacho, carteando truco* de mano e naquelas charlas misteriosas, atiçadas pela canha, que só terminavam quando o braseiro se desmanchava em pó de cheiro ardido. De que falavam? Maninho ouvia a voz do pai e o punhal machucava a mão, tanto o apertava. O velho nunca prestara e tinha piorado depois da morte da mulher, embebedando-se até em dia de semana e maltratando os filhos por qualquer nonada. Agora se acolherara

---
* Jogo de cartas muito comum no interior do Rio Grande do Sul, sobretudo nas zonas fronteiriças da campanha. (N.E.)

com aquele traste indiático, aquele bugre calavera e muito alcaide, que viera do Bororé para ajudar na lida e era dia e noite mamando num gargalo e ensebando o baralho espanhol.

Da mana, ai, da mana não sentia raiva alguma, só uma dor no peito, só um caroço na garganta. Já abeirante aos dezessete, morrendo a mãe ela tomara seu lugar, cozinhando, remendando o traperio, ensinando-lhe a ler umas poucas palavrinhas. E até mais do que isso... Viva na sua lembrança estava a noite em que o temporal arrebentara o zinco, destapando metade do ranchinho. Molhada, louca de frio, ela viera se deitar no catre dele. As chicotadas do aguaceiro na parede e aquele vento roncador, os mugidos soluçantes de terneiros extraviados e aquele medo enorme de que o mundo se acabasse, e no meio da noite, do vento, da chuva que vinha molhar o xergão com que cobriam os pés, ela quisera que lhe chupasse o seio pequenino. A mornura e o cheiro do corpo dela, e seu próprio coração num galope estreito, uma emoção assim – pensava – não era coisa de se esquecer jamais. Que noite! E na doçura do recuerdo vinha se enxerir o índio Cacho, dando sota e basto como um rei. Desde o primeiro dia, vendo Aninha, não disfarçara suas miradas de cobiça, sua tenção de abuso grosso, e o descaro era tamanho que até se apalpava em presença dela. Tivera a certeza, então, de que o pai não zelava pela filha e pouco se importava que um bugre tumbeiro e mal-intencionado tomasse adiantos com a menina. Quem sabe até não a perdera nalgum real-envido!* Tivera a certeza de que, não sendo o bugre, ia ser outro qualquer, algum bombachudo que apeasse por ali e depois se fosse, deixando-a tristonha, solita... solita como se queda uma novilha prenha. E depois, ah, isso já se sabia, depois ia virar puta de rancho, puta de boliche e no fim uma daquelas reiunas que vira algumas vezes na carreteira, abanando em desespero para caminhão de gado.

Ora, não era bem uma surpresa.

E na tarde daquele dia que se terminara, enquanto o velho gambá se emborrachava no galpão e a chacrinha toda era um silêncio, tinha visto olhares, sinais, Cacho a rondar o quartinho, até urinando por ali para se mostrar e Maninho sabia que ela estava olhando, que ela estava espiando, nervosa, agitada, e que já era hora de aquentar o café e o mingau de farinha e ela nada, só janeleando e aquele tremor nas mãos, nos lábios, aqueles olhos ariscos e assustados.

Entardecia, o lusco-fusco cheirando a fruta, a estrume fresco, a terra mijada. Eles se esconderam no parreiral e Maninho os seguiu entre ramadas, pastiçais. Um pelego branco e o corpo de Aninha também branqueava debaixo do couro zaino do

---

* Lance do jogo do truco. (N.E.)

alarife. Podia não ser uma surpresa, mas, ainda assim, o que parecia ter levado mesmo, ai-cuna, era um mangaço ao pé do ouvido. Mão crispada no punhal, um-dois-três e finava o homem, mas não se movia, apresilhado ao chão, vendo os dois rolarem na terra e se esfregando um nas partes do outro. As pernas de Aninha se afastaram, o bugre se ajoelhou, cuspiu nos dedos, um suspiro, um gemido fundo e ele começou a galopear, atochado nela.

Essa tarde anoitecera, a noite já envelhecia, entrava a madrugada nos mangueirões do céu e o guri cabeceava... Ia esfriando agora, a brisa quase vento e o chiado da folharada aumentava no mato atrás das casas. Ele trazia os joelhos de encontro ao peito para se aquecer, pensava na mãe, que as mães não deviam morrer tão cedo, na falta delas todo mundo parecia mais solito, espremido no seu cada qual como rato em guampa. Vida miserenta, porcaria, dava de ver como a família ia bichando, ia ficando podre, ia virando pó.

No galpão, o velho e Cacho se entretinham numa prosa enrolada e esquisita, bulindo com dinheiro.

— Vai te deitá, guri — disse o velho, vendo Maninho entrar, e voltou-se para o bugre: — E aí...

— Aí... — fez o outro, e não continuou.

Maninho agarrou o freio e um pelego. O velho viu, deu uma risada frouxa.

— Se mal pergunto, vai dar algum volteio?

O bugre não riu. No candeeiro de azeite, pendurado no jirau, a chama ia mermando, cedendo espaço às sombras.

Maninho enfrenou um tordilho, que por viejo e lunanco não ia fazer falta a ninguém. Depois entrou em casa, foi direto ao quartinho da irmã.

Aninha dormia de lado, parte dos cabelos escondendo o rosto. A tênue claridade da noite, debruçada na janela, fazia do corpo dela um vulto acinzentado, mas gracioso. Maninho não conhecia muitas mulheres e nunca dormira com nenhuma, mas com qualquer que pudesse comparar, Aninha parecia mais bonita, bagualazinha jeitosa que dia a dia ia se cascudeando naquelas lidas caseiras. E dizer que aquela pitanga fresca e saborosa tinha cevado sua polpa para um chiru desdentado como o Cacho... Quanto desperdício, quanta falta de alguma coisa que não sabia o que era e já se perguntava, afinal, se não era o tal de amor. Seus olhos se encheram de lágrimas e ele se ajoelhou, aproximou o rosto do ventre da irmã. Um beijo, e o sexo dela tinha um cheiro delicado, profundo.

Aninha moveu-se e ele se ergueu, resoluto. Foi até o puxado onde dormia e meteu alguma roupa nos peçuelos, carregando também sua tropilha de gado de osso. Na saída, cortou do arame um naco de charque de vento. Montou, partiu despacito, no tranco. Ao cruzar pelo galpão viu que o velho e Cacho já dormiam, tinham debulhado duas garrafas de cachaça.

Um tirão até Itaqui, e depois... quem saberia? Depois ia cruzar o Rio Uruguai, ou não cruzar, ou ia para Uruguaiana, Alegrete, ou para a Barra, Bella Unión, lugares dos quais ouvira um dia alguém falar. Queria conhecer outras gentes além de um gambá e de um bugre, queria conhecer outras mulheres, mamar noutras tetas e, enfim, saber de que trastes se compunha o mundaréu que começava más allá das canchas de osso e dos bolichos da Vila do Bororé. Um dia, um dia distante — quem saberia? —, talvez até voltasse. Não pelo velho gambá, que aquele não valia um caracoles e merecia era bater de uma vez com a alcatra em chão profundo. Não pela chacrinha, que nem era deles, nem mesmo por Ana: que fosse a pobre mana enfrentar seu destino. Voltar para subir o cerrito de pedra nos fundos do campinho, para atirar uma flor na cruz da velha morta, de quem, agora mais do que nunca, sentia tanta saudade.

Travessia

Foi de propósito que Tio Joca escolheu aquele dia. De madrugada já fazia jeito de chuva no céu de Itaqui e sentia-se no ar aquele inchume, prenúncio de que um toró ia desabar a qualquer hora. Por toda a manhã o ar esteve assim, morno, abafadiço. Antes do meio-dia o tio se resolveu, embarcamos na chalana e cruzamos o rio.

O rancho de André Vicente ficava no meio de um matinho, perto do rio, lá chegamos por volta da uma. Dona Zaira, desprevenida, preparou às pressas um carreteiro com milho verde. Para rebater, André Vicente abriu um garrafão de vinho feito em casa, gostosura tamanha que até a mim me deram de beber quarto de caneca. Tio Joca bebeu meio garrafão e, como sempre, contou velhas e belas histórias de lutas de chibeiros* contra os fuzileiros do Brasil.

Após a sesta fui à vila comprar pão, salame, queijo, o tio já saíra com André Vicente para buscar as encomendas. Dona Zaira arrumou o farnel numa velha pasta de colégio e fomos nos sentar na

---

* Indivíduos que, na fronteira, dedicam-se ao contrabando de pequeno porte. (N.E.)

varanda para esperar os homens, ela costurando, eu ouvindo a charla dela. A mulher de André Vicente gostava de me dar confiança porque no tenía hijos. Não era a primeira vez que me convidava para morar com ela no Alvear.

Os homens voltaram à noite numa carroça com tolda de lona, puxada por um burro, na boleia um baixinho de lenço no pescoço que atendia por Carlito. As encomendas eram tantas que fiquei receoso de que a chalana não flutuasse.

Tio Joca consultou Dona Zaira:

– Então, comadre, vem água ou não vem?

Ela disse que durante a tarde tinha erguido vela a Santa Rita e São Cristóvão, na intenção de um chaparrón, o tio retrucou que naquela altura, nove da noite, os santos já não resolviam e carecia negociar mais alto. Os homens deram risada e começaram a descarregar. Também tinham trazido um cesto de peixe.

O tio estava disposto a esperar até a madrugada do outro dia, mas, perto da meia-noite, uma brisa começou a soprar, em seguida virou vento e o vento ventania. De repente parou, como param os cavalos, com os músculos tensos, na linha do partidor. Veio então o primeiro relâmpago, tão forte que parecia ter rachado o rancho ao meio. A ventania recomeçou e logo o primeiro galope do aguaceiro repicou no zinco do telhado.

Tio Joca festejou a chuvarada com uma caneca que passou de mão em mão e disse a Dona Zaira que ali estava o comprovante: nos santos não dava de confiar, não mandavam nada, nos arreglos mais piçudos era preciso tratar direto com o patrão.

André Vicente e Carlito ajudaram a carregar a chalana. A ribanceira era um sabão e ainda era preciso cuidar para não dar água nos embrulhos.

Logo depois da partida de Alvear, Tio Joca mostrou uma pequenina luz vermelha que piscava no outro lado, na margem brasileira.

— Me avisa se ela se mexer.

Era o lanchão dos fuzileiros, que o tio chamava "bote dos maricas", por causa do boné com rabinho da corporação.

No canto da proa desfiz o farnel.

— Come também, tio?

— Mais adiante.

É que bracejava com os remos, a chalana ia e vinha sacudida pelas espumantes marolas. Com as chuvas da outra semana o Uruguai tinha pulado fora de seu leito, e além da forte correnteza havia redemoinhos pelo meio do rio, daqueles que podem engolir uma chalana com seu remador.

A chuva continuava forte, chicoteando a cara da gente e varando a gola do capote. Tio Joca deu um assobio.

— A encomenda tá molhando, filho.

Desdobrei uma segunda lona. Me movia com dificuldade entre os pacotes e o cesto de peixe.

— Nada?

— Nada, tio.

— Parece que tudo vai bem.

Uma corrente mais forte botou a chalana de lado. Tio Joca se arreliou:

— Eta, rio de bosta!

Ele continuava preocupado e não era por nada. Estávamos precisados de que tudo desse certo. Fim de ano, véspera de Natal, uma boa travessia, naquela altura, ia garantir o sustento até janeiro.

— Tio — chamei, assustado —, a luz se apagou.

— Se apagou?

Voltou-se, ladeou o corpo, por pouco a chalana não emborca.

— Ah, guri, não vê que é uma chata passando em frente?

Agora eu via a silhueta da chata, ouvia o ronco do motor. Em seguida a luz reapareceu. Acima dela, na névoa, dessoravam as luzes de Itaqui.

— Esse cagaço até que me deu fome.

— Tem queijo e salame.

— Me dá.

Mas estava escrito: aquela travessia se complicava. A chuva foi arrefecendo e parou quando já alcançávamos o meio do rio. Tio Joca nada disse, mas eu adivinhava o desencanto entortando a boca dele. Para completar, olhei outra vez para a margem brasileira e outra vez não avistei a luz.

— Vai passando outra chata, tio.

— Ué, de novo?

Recolheu um remo, o outro n'água a manter o rumo.

— Não tem chata nenhuma.

Mas o farolete do lanchão não reapareceu.

— Agora essa! Não querem gastar a bateria esses malandros?

Cambou a chalana a favor da correnteza, mudando o ponto do desembarque.

— Vê as botas de borracha, vai ter barro do outro lado.

— Falta muito, tio?

Não respondeu. Ainda lutava com a chalana e eu ouvia o sopro áspero de sua respiração.

— Tio?

— Quieto, eles vêm vindo.

Eu nada ouvia. Ouvia sim aquele som difuso e melancólico que vinha das barrancas do rio depois da chuva, canto de grilos, coaxar de rãs e o rumor do rio nas paredes de seu leito. Mas o tio estava à espreita, dir-se-ia que, além de ouvir, até cheirava.

— Mete a encomenda n'água.

Três ventiladores, uma dúzia de rádios, garrafas, cigarros, vidros de perfume e dezenas de *cashmeres*, nosso tesouro inteiro mergulhou no rio. O tio começou a assobiar uma velha milonga, logo abafada pelo ruído de um motor em marcha lenta. A poucos metros, a montante, um poderoso holofote se acendeu e nos pegou de cheio.

— Tio!
— Quieto, guri.
— Buenas — disse alguém atrás da luz. — Que é que temos por aí?

Sem esperar que mandassem, o tio atirou a ponta do cordame.

— Um rio medonho, doutor tenente.

Um fuzileiro recolheu a corda e prendeu-a no gradeado.

— Que é que temos por aí? — insistiu o tenente.

— Peixe, só uns cascudos para o caldo do guri que vem com fome.

O tenente se debruçou na grade.

— Peixe? Com o rio desse jeito?

— O doutor tenente entende de chibo e de chibeiros, de peixe entendo eu — disse Tio Joca, mostrando a peixalhada no cesto.

Alguém achou graça lá em cima.

— Bueno, venham daí, eu puxo essa chalana rio acima.

— Gracias — disse o tio. — Pula duma vez, guri.

O tenente me ajudou a subir e passou a mão na minha cabeça.

— Tão chico e já praticando, hein? Essa é a vida.

— Essa é a vida — repetiu Tio Joca.

Teso, imóvel, ele olhava para o rio, para a sombra densa do rio, os olhos deles brilhavam na meia-luz da popa e a gente chegava a desconfiar de que ele estava era chorando. Mas não, Tio Joca era um forte. Decerto apenas vigiava, na esteira de borbulhas, o trajeto da chalana vazia.

Noite de Matar um Homem

Faltava mais de hora para amanhecer e caminhávamos, Pacho e eu, como debaixo de imenso poncho úmido. Um pretume bárbaro e o rumo da picada se determinava mais no tato, pé atrás de pé, mato e mato e aquela ruideira misteriosa de estalos e cicios.

— Que estranho — disse Pacho —, às vezes escuto uma musiquinha.

— Decerto é o vento.

— Vem e vai, vem e vai. Também ouviu?

— Não, nada.

— Então é o bicho do ouvido.

Adiante, um lugar em que a picada parecia ter seu fim. Pacho acendeu a lanterna, apontando mais o chão do que o arvoredo. Na orla do facho, que alcançava o peito de um homem, rebrilhavam de umidade as folhas dos galhos baixos e atrás delas a sombra se tornava espessa, como impenetrável.

Não era o fim.

Era um minguado aberto onde o caminho se forqueava. No chão havia restos de esterco seco e a folhagem rasteira vingara em terra pisoteada.

Pequenos galhos e a ramaria de última brotação quase fechavam as passagens. Uma era estreita e irregular e suja, aberta pelo gado: em janeiro, fevereiro, quando o sol abrasava os campos e bebia as aguadas, por ela havia de cruzar o bicharedo a caminho do rio. A outra, mais ancha e alta, desbravada pela mão do homem e rumbeando, quem sabe, até lenheiros ou algum pesqueiro. Por esta enveredamos, ladeando, de longe, o curso do Uruguai. O Mouro, pelas nossas contas, estava a menos de quarto de légua em frente.

— Tô ouvindo de novo.

— É o vento.

— Vento? Que vento? Parece um bandônio.

Um bandônio no mato! Se aquilo era noite de alguém ficar ao relento milongueando seus recuerdos...

— Escuta... ouviu?

— Nada.

— Ouve agora... não, agora não... parou.

— Bueno, seja o que for, não há de ser o Mouro.

Pacho concordou:

— A música dele é outra.

Vindo de Bagé ou Santiago, ninguém sabia ao certo, esse Nassico Feijó, a quem chamavam Mouro, fizera daquela costa seu rincão. Dado ao chibo como nós, ninguém lhe desfeiteava o afazer, mas, com o tempo, campos e matos da fronteira, por assim dizer, foram mermando, e já não era fácil repartir trabalho. Seguido Tio Joca dava com ele no meio de um negócio, e se o ganho era escasso ficava ainda menor. Ele também se prejudicava e por isso se tornou mais façanhudo, mais violento, tão atrevido que em Itaqui apareceu o nome dele no jornal. Era o que faltava para atiçar a lei. Em nossas casas, um lote de meiáguas cercanas do grande rio, volta e meia apeavam os montados atrás dele. E adiantava dizer que não morava ali? Que não era dos nossos? Reviravam tudo, carcheavam a la farta, e enquanto isso Dom Nassico no bem-bom. Ultimamente desviara um barco nosso que subia de Monte Caseros com uma carga de uísque e cigarro americano. Era demais. Tio Joca armou um cu de boi e todos estiveram de acordo em que o remédio era um só.

Mas a música dele era outra, dizia Pacho. E como um sapateador de chula* que deitasse o bastão n'água, o Mouro gavionava ora num lado e ora noutro do rio. Andejo sem alarde, costumava sumir depois de um salseiro. Libres, Alvear, Itaqui, Santo Tomé, de uma feita se soube que andava em Santana, doutra em Curuzu Cuatiá, como adivinhar que rumo tomaria? A pendência ia para três meses, por isso o alvoroço da vila quando um guri esmoleiro veio avisar que ele acampara a cinco

---
* Dança masculina dos gaúchos, que consiste em sapateados em torno de uma lança ao chão. (N.E.)

horas de caminho, desarmado, solito e bem machucado. Os homens se apetrecharam, algariados, o mulherio se agarrou com a Virgem, mas o tio, que de tudo cuidava, amansou o pessoal. Nada de correria na beira do rio, nada de ajuntamento e vozearia, iam só dois e os demais se recolhiam no quieto.

Meia-noite e pico partíramos a pé, tomando estradas de tropas e contornando os bolichos do caminho. Quando as estradas se acabaram e a quietura do mundo apeou nos campos, deu para atalhar por dentro deles, varando alambrados, sangas, pedregais. De volta à costa, no mato, tivemos de achar a picada por onde o tipo se embrenhara, mas o mexerico do guri era miudinho: a duzentas braças da divisa do Eugênio Tourn com o Surreaux, perto do umbu velho arretirado do mato... E lá estávamos, já na segunda picada, debulhando pata num caminho que a cada metro se tornava mais estreito, com o corpo dolorido, as alpargatas encharcadas, tropicando como dois pilungos e encasquetados no sonho guapo de estrombar um taita. Não era assim que se aprendia? Não eram esses os causos que se contavam nos balcões, nos batizados, nos velórios?

Pacho ia na frente, o mato clareava um nada nas primeiras luzes da manhã quando ele se deteve. Assavam carne ali por perto e nos pusemos de quatro, meio de arrasto entre troncos e folhagens que margeavam a picada. Avançamos até avistar entre o arvoredo, a coisa de trinta metros, uma clareira chica, um braseiro, um espeto cravado na terra. E o Mouro estava ali, sentado, vá lambida na palha de um cigarro.

Pacho se imobilizou, e por trás, ajoelhado, destravei a arma e apoiei o cano no ombro dele. Dei um lento volteio com a mira para me afeiçoar ao clarão das brasas e prendi a respiração e não, não era palha o que levava à boca Dom Nassico, era uma gaitinha e já chegava até nós o larilalá da marquinha que ponteava. Então era ele! E quanto capricho, quanto queixume naquela melodia, às vezes quase morria numa nota aguda, como o último alento do mugido de um touro, e logo renascia tristonha e grave, como um cantochão de igreja. Parecia mentira que um puava como aquele pudesse assoprar tanto sentimento, e o mato em volta, com seu silêncio enganador, alçava a musiquinha como o seu mais novo mistério.

— Atira — gemeu Pacho, como se lhe apertassem a garganta.

Sobre nossas cabeças explodiu a fuga de um pombão, sacudindo a folharada. A música cessou. No rosto do Mouro, avermelhado pelas brasas e com manchas escuras, apenas os olhos se moveram. Um olhar arisco, intenso como o da coruja. Não podia nos ver, mas olhava diretamente para nós e era como se nos visse na planura de uma várzea.

Senti a mão de Pacho em meu pescoço, no ombro, no braço, e quase sem querer começamos a retroceder, a rastejar, abrindo caminho com os pés. Impossível que ele não tivesse ouvido. Mas não se movia. E o vigiávamos, e ele não se movia. Quando, finalmente, encontramos espaço para volver o corpo e pô-lo em pé, a claridade da manhã já esverdeava as folhas e dava o contorno dos galhos mais roliços. Retomamos o caminho a passo acelerado e com a sensação de que o mato nos mangueava pelas costas.

— E Tio Joca? Que é que a gente vai dizer?

Pacho não respondeu. A uma distância que nos pareceu segura, abrandamos a marcha. Avistamos a confusa abertura da primeira picada e cruzamos por ela, quedando à escuta. Nada, só os rumores do matagal, murmúrios da vegetação amanhecida, seus bocejos minerais.

— Que é que a gente vai dizer pro tio? Que se achicou?

Pacho teimava em não falar. Estávamos parados e ele me olhou, desviou os olhos, ficou batendo de leve com a coronha da arma no chão.

— Pois pra mim, pro meu governo... — comecei, e emudeci ao perceber que nosso embaraço tinha testemunha, o Mouro encostado num tronco e nos olhando com olhos de curioso. Vê-lo de tão perto, cara a cara... que vaza para dar de taura, como os avoengos, e no entanto estávamos, Pacho e eu, petrificados.

— Quem são ustedes?

Trazia uma ferida aberta no queixo e o nó do lenço ensanguentado. No alto da testa havia outro lanho macanudo, entreverado de cabelo e sangue seco. A manta dobrada num dos ombros escondia seu braço esquerdo, mas o outro estava à vista, pendido e com a mão fechada.

— Quem são ustedes? — repetiu, no mesmo tom.

A mão fechada fez um curto movimento, rebrilhando nela um corisco de prata. Pacho atirou no susto, eu também, e o Mouro, lançado para trás, ficou preso no tronco por um retalho da nuca e nos olhava, esbugalhado, despejando sangue pelo rombo do pescoço. Um estremecimento, outro churrio de sangue, ele se sacudiu violentamente e desabou.

— Pacho — e veio um caldo à minha garganta.

Ele não me ouviu. Sentara-se no chão, abraçado na vinchester, e chorava como uma criança.

Vomitei e vomitei de novo e já vinha outra ânsia, como se minha alma quisesse expulsar do corpo não apenas a comida velha, os sucos, também aquela noite aporreada, mal-parida, e a história daquele homem que aos meus pés estrebuchava como um porco. Recuei, não podia desviar os olhos e fui-me afastando e me urinava e me sentia sujo e envelhecido e ainda pude ver, horrorizado, que aquela mão agora estava aberta e empalmava só a gaitinha.

Aquele Dom Nassico... que noite!

Quando começamos a voltar ia primando o sol de pico, mas só à tardinha, depois de muito rodopio e outros refolhos, pudemos chegar e entrar novamente em casa. Ninguém veio conversar conosco, fazer perguntas, apenas Tio Joca bateu à porta, noite alta e quando todos já dormiam. Nem entrou.

— Fizeram boa viagem?

Pacho, o pobre, dormia como deleriado, eu também me emborrachara e tinha tonturas, calafrios, quase não podia falar. E adiantava falar? Choramingar que entre el sueño y la verdad o trem da vida cobrava uma passagem mui salgada? Isso o meu tio, na idade dele, estava podre de saber.

— E o homem? — tornou, apreensivo.

— Nem fez mossa — pude responder, segurando-me na porta. — Se tem barco em Monte Caseros, pode mandar subir.

Guapear com Frangos

Quando o tropeiro Guido Sarasua morreu afogado, aquele López foi um dos que tresnoitaram o Ibicuí rio abaixo e rio acima, na obrigação de não deixar corpo de homem sem velório. Chovera demasiado nos primeiros dias de novembro, as águas se engaruparam nas areias, fazendo espalho nos baixios, corredeiras em grotões que davam voltas e iam alcançar mais adiante o rio, se entreverando nele com guascaços de espuma, marolas caborteiras e um rumor de tropa sob a terra. Desmerecendo o aconselho da razão, aventurara-se o Sarasua à louca travessia e agora jazia debaixo daquele aguaçal endemoniado, pasto e repasto num farrancho de traíras. Encontraram a canoa de borco, presa nos galhos de um salgueiro, e assim começou o resgate em que figuravam aquele López e mais certo Honorato pescador e mais um chacreiro e seu filho maior e outros que não vêm ao caso.

Dois dias se passaram com os homens lancheando o rio até a barra do Ibicuí e volvendo despacio, chuleando o corpo na corrente e naquele mar dentro do mato. Na manhã do terceiro dia, ao botar a lancha n'água, o filho do chacreiro avistou algo que parecia um tronco a resvalar na correnteza. "Olha o morto", gritou o guri. Estavam perto do remanso onde fora achado o bote. Decerto enredado, só agora Guido Sarasua se libertara de sua prisão de água e singrava para o rio maior, sereno, soerguido, solene como um buque de oceano.

Os homens laçaram o corpo e o trouxeram. Deitaram-no em lugar seco e foram reunir-se ao longe para decidir se enterravam ali mesmo — tal o estado em que se encontrava — ou levavam à família. Guido Sarasua, quase sentado em sua rigidez de morto velho, parecia querer ouvir a discussão de seu destino e fitar os homens com os buracos dos olhos comidos pelos peixes. O sol pegava de viés no seu costado e ele parecia mais inchado, mais verde, tão decomposto que o filho do chacreiro, a vinte braças, vomitou três vezes. Os mais velhos, não: já haviam laçado outros mortos naquelas e noutras águas, já não se achicavam no primeiro bafo da podridão. E foi por isso que, num acordo que lhes pareceu decente e respeitador, resolveram que o morto não podia ser entregue aos bichos sem os recomendos do padre e uma vela que alumiasse os repechos do céu.

Honorato lancheava o corpo até o aberto onde haviam arrinconado os cavalos, o chacreiro enviava um próprio à família, o guri ia ao povo cabrestear o padre, e assim foram repartindo os serviços, e assim, àquele López, tocou-lhe repontar o desinfeliz tropeiro, no último estirão de sua triste volta para casa.

De retorno ao paradouro dos cavalos, partiu cada qual com seu mandato e quedou-se solo o López com seu morto.

— Fodeu-se o viejo Sarasua — murmurou.

A faconaços, atacou um amarilho de bom porte e quitou dele uma forquilha, cuja ponta apresilhou no arreio de seu baio. Com um galho menor e o cordame que lhe emprestara o pescador, fechou e apequenou o triângulo das varas que iam de arrasto — zorra meio achambonada que, na circunstância, resultava ao contento. Perto, atropelado pelas moscas, o Sarasua apodrecia, López precisou trancar a respiração para erguer o corpo e sentá-lo na travessa da forquilha. Terminou de amarrá-lo e se afastou, pálido, suando frio na testa e nas mãos. Acendeu um cigarro, pela folharada no alto do arvoredo esteve um tempo a vigiar o vento, o preguiçoso vento de uma manhã que se anunciava luminosa e escaldante. Com o mato alagado, adiante a areia já secando, fofa, com a ressolana e o tranco de cortejo, a viagem ia pedir mais do que duas horas, razão bastante para acomodar seu rumo a contravento.

Partiu com o baio a passo, cruzando braços de rio, rasas lagoas, areais, o galharedo se enganchava no cordame e ele precisava desmontar, tocar no corpo, vez por outra erguê-lo, sacudi-lo. Nem deixara ainda os sítios inundados quando lhe escapou um gemido. Apeou-se, correu até um pequeno descampado e chegou já vomitando. Sentou-se por ali, arreliado consigo mesmo. Na sua lida diária, de tropeadas secretas que varavam alambrados, de furtivas travessias do grande rio que corria em cima da fronteira, na sua lida de partilhas, miséria, punhaladas e panos ensanguentados, via a morte e a corrupção do corpo como outro mal qualquer, como os estancieiros, a polícia, fuzileiros e fiscais de mato, não podia aceitar que numa viagem de paz viesse a ter enjoos de chininha prenha. E cismava e se demorava na clareira, fumava outro cigarro quando um relincho esquisito do baio e um ruído arrastado e outro relincho o despertaram daquelas sombrias ruminações. Correu de facão em punho e aos gritos espantou o tatu que fuçava nos restos do tropeiro. Sempre chegou tarde. Feroz arranhador de caixões nos cemitérios campeiros, o rabo-mole não poupara o Sarasua, saqueando pedaços do ventre, alguma carne do pescoço, e da sobra cuidava o mosqueiro.

López montou de um salto e tocou o baio quase a trote pelo caminho que escolhera entre o matagal, contrariando o ventinho molengão. Não se animava a olhar para trás, não queria ver o corpo dilacerado e também achava que, olhando, ia padecer demais a danação daquele cheiro. Agora reinava o sol de pico, o arvoredo sombreando curto e o baio assoleado a tropicar. López fumava sem parar para trampear o olfato, tentava distrair-se com pensamentos pueris e no meio deles se intrometiam odores de mornura adocicada. E ele voltava a pensar, a perguntar-se, logo ele, que não tinha o costumbre malo de se quedar cismando, imaginando coisas, como os doutores, os preguiçosos e os jacarés.

De sua inquietude participava o cavalo, sempre a cabecear, trocar orelhas, de quando em quando um nitrido baixo, ameaçador. Outros tatus? Algum graxaim faminto na retaguarda do cortejo? López sujeitou o cavalo, ouviu o rebuliço de pequenos animais pela ramaria. Desmontou, viu que o Sarasua, depois do papa-defunto ou de outros bichos cujo assédio lhe escapara, trazia uma cova na barriga e parte do costilhar já bem exposta. Outra golfada de vômito e, sentindo que perdia a visão e o equilíbrio, afastou-se com passos trôpegos, foi parar lá longe num montículo de areia onde despontava uma sina-sina. Lá o vento favorecia e não sentia cheiro algum, de lá podia ver o baio, o corpo, vigiar e proteger sua carga. Tirou a camisa, enxugou o suor que lhe escorria pela testa e lhe salgava os olhos. O mato era um grande forno verde e a areia já queimava no contato com a pele. López via o baio com as virilhas encharcadas, abanando em desespero a comprida cola para espantar a mutucagem, e figurou que naquela altura, sem ser movimentado, o corpo de Guido Sarasua estaria coberto de centenas, milhares de grandes e médias e pequenas moscas. Pensou em desatrelar o cavalo e partir a galope, emborrachar-se no primeiro bolicho do caminho. Mas não, não ia fazer esse papel de maula. Era um pobre-diabo como todos os tropeiros, chibeiros, pescadores e ladrões de gado daquela fronteira triste, mas jamais faltara à palavra empenhada. Prometera levar o corpo e trataria de levá-lo, ainda que tivesse de vomitar o próprio bucho. Ou de guapear com os bichos. Sim, porque vira uma sombra na areia. No céu, um corvo espreitava o cadáver de Guido Sarasua.

 López quis levantar-se, suas pernas vacilaram, e ao menor movimento o estômago se embrulhava. Firmou a vista na direção da carga, o baio abanava a cola, pateava. Passou um segundo corvo em voo rasante, sumiu atrás das árvores, e era este o batedor mais avançado, o outro permanecia dando voltas, agora mais baixas e menores. López pegou o revólver. Quando o batedor reapareceu ele fez pontaria, ia atirar, perdeu-o atrás do arvoredo. Quedou-se imóvel, cuidando, o baio outra vez se arreliava, deu dois nitridos curtos, raivosos. López ergueu-se, sentiu uma tonteira, uma zumbeira no ouvido, começou a andar e andava mais depressa e prendia a respiração, chegou quase correndo e montou mal, precisou se pendurar nas crinas para pôr-se às direitas no arreio.

O sol do meio-dia abrasava-lhe o pescoço, os ombros nus. López cavalgava com a camisa no nariz e ansiava outra vez por vomitar. Viu de longe, no campo, duas arvorezinhas gêmeas, e disse consigo que não vomitaria antes de alcançá--las. Trezentos metros, quatrocentos talvez, o baio avançava com dificuldade, enterrando as patas na areia, e López ouvia o zumbido infernal como pendurado ao pé da orelha. Que restaria de Guido Sarasua? E restaria alguma coisa para encaixotar debaixo de uma vela? Voltou-se de viés, como para espiar antes de ver. E viu que o bicharedo tinha lidado a capricho enquanto estivera a tomar um alce debaixo da sina-sina. Guido Sarasua era agora um par de pernas despedaçadas, um grande buraco negro das costelas para baixo, e ali se moviam, uns sobre os outros, em camadas, moscas, formigas, vermes e uma profusão de insetos. López saltou do cavalo e abancou-se a dar de camisa no que sobrava do tropeiro. E gritava e voltava a guasquear o corpo, as moscas esvoaçavam em torno de seus pés, de sua cabeça, batendo em seus ouvidos e seu rosto. Alucinado, puxou o revólver, disparou a esmo e o tiro como o despertou. Pálido, boca aberta, começou a recuar, caiu, levantou-se, tornou a recuar, cambaleando, o vômito lhe saía quase sem esforço, descendo pelo queixo, pelo peito. Recuou até sentir que não podia recuar mais, que suas forças se esvaíam, e então caiu, sentindo a areia a arder e a grudar nas costas nuas.

O imenso céu azul ao redor, que via através de uma teia de fibrilações, e novas sombras que lhe cruzavam por cima. Moveu a cabeça e avistou, não longe, aboletado num galho rasteiro e como se soubesse não ter adversários, um enorme corvo negro. Laboriosamente, ofegando, pôs-se de bruços. Apoiou os cotovelos na areia, apertou o revólver com as duas mãos e disparou. A ave tombou, recompôs-se, deu um salto e caiu novamente, a cabeça entre as patas e as compridas asas a bater. López suspirou, deitou a cabeça no braço, seu corpo arqueou-se para um inesperado vômito, mas nada mais havia para vomitar e de suas entranhas brotou um ruído metálico. E uma vertigem que não se acabava. E calafrios. Pensou que precisava erguer-se e o corpo negaceava, os olhos já não se abriam e a cabeça teimava em passarinhar ideias. Fez ainda um supremo esforço, mas os pensamentos se enredavam, fugiam, e antes do desmaio ouviu confusamente, como dentro da cabeça, um relincho feroz, um fragor de patas, e depois não ouviu mais nada.

Por menos de hora esteve aquele López como ausente do mundo, mas ao despertar teve a impressão de que se haviam passado dias, semanas, talvez anos. Deu fé, primeiro, de seu peito ardido. Em seguida, a memória de um cheiro, a memória de um medo e outras memórias e outros medos. Levou a mão à cintura, e não encontrando o revólver pensou-se desamparado, perdido. Tateou a guaiaca, os flancos do corpo, localizou-o no chão a dois palmos do nariz. Pegou a arma e, lentamente, como se vigiado por mil olhos, ergueu o rosto e espiou ao derredor. Longe, além das arvorezinhas gêmeas, lá estava o baio tranquilo a pastar. Mantinha a forquilha pendurada, mas do corpo nem sinal. López lembrou-se do galope que ouvira e pôde reconstituir a cena: o cavalo disparando, a forquilha aos solavancos, o corpo de Guido Sarasua sendo projetado e volcando no chão. Com preocupação crescente seu olhar transferiu-se do campo para o fim do mato, entre as areias. Nada viu, mas ouviu um rumorejar, algo entre o murmúrio e o espanejar de sedas. Custou a identificá-lo, embora habituado àquela espécie de retouço, tipo bando de china em festo. Era o banquete. López sentou-se, apertando os lábios. De seus olhos saltaram grossas lágrimas que correram junto do nariz e hesitaram na saliência dos lábios, perlando. Passou por ali a língua seca, como a revitalizar-se em seu próprio sentimento. Levantou-se, por fim, descortinando a cercania. No fim do mato, uma dúzia de aves disputava postas de carne escura e ele partiu para lá, cambaleando, o revólver preso nas duas mãos. Alguns corvos se abalançaram naquele grotesco galope com que alçam voo, os outros ainda se atracavam na carniça quando ele começou a atirar. Quatro disparos compassados, quatro balas perdidas, e as aves se alçaram todas numa súbita revoada de asas e crocitos. Todas menos uma, aquele carniceiro que tentou voar e, de tão pesado, se escarranchou numa ramada. López aproximou-se com surpreendente rapidez e o agarrou. Quis matá-lo pelo bico, esgarçando-o, o corvo se debatia e as garras vinham ferir seus braços, seu peito e até seu rosto. Tomou do pescoço, então, para quebrá-lo, e ao sentir numa só mão o peso inteiro, fraquejou e o bicho escapuliu, meteu-se na mesma ramada onde pouco antes tombara. López fitou-o, fitou o bando que, no céu, persistia em cercana e aplicada vigilância. E eram já mais numerosos, e já vinham outros voando baixo, e outros apareciam pousados em galhos bem próximos, silenciosos, pacientes. O cerco se fechava, e López, por caminhos tortuosos de seu pensamento, logrou suspeitar que os bichos tinham vencido. Procurou a camisa, vestiu-a, deu uma espiada no corvo que, sorrateiro, tentava mudar de ramada. Não, não se considerava derrotado ou covarde. Era a lei, pensava, e pelear com aqueles frangos negros não ia mudar coisa alguma. E era a mesma lei que reinava em sua vida e na vida de seus conhecidos. Todo mundo se ajudava, claro, mas quando alguém morria os outros iam chegando para a partilha dos deixados. Peixes, moscas, tatus, ratos, aves carniceiras comiam o bucho, as coxas e os bagos de Guido Sarasua. Os companheiros levavam do morto uma cadeira, uma bacia, um par de alpargatas pouco usadas, um ficava com a cama, outro com a mulher, e a miuçalha, como a ossada de uma carniça, ia se extraviando ao deus-dará. De que adiantava guapear com os bichos? Aproximou-se do corpo estraçalhado. De Guido Sarasua ainda sobravam algumas carnes, protegidas pelas costelas e outros ossos maiores — o bastante para um bando de urubus famintos. Desembainhou o facão.

— Me desculpa, índio velho.

E como quem parte uma acha de lenha, curvou-se sobre o Sarasua e abriu-lhe o osso do peito ao meio.

O Voo da Garça-Pequena

Pela segunda vez cruzava o rio naquele dia. Durante a madrugada carregara sete bolsas de farinha na margem correntina e viera entregá-las a um padeiro de Itaqui, numa prainha águas abaixo da cidade. Agora ia buscar mais sete. Serviço duro, mas López estava satisfeito. Por toda a semana estivera cheio, duas cargas por dia, e tinha a promessa de mais trinta se o fornecimento não se interrompesse.

No outro lado, amarrou a chalana no salso que era já seu ancoradouro. Agarrou o pelego que forrava o banco e saltou para a terra, pensando que em seguidinha ia ferrar no sono e descontar a noite maldormida. Mas às vezes dá nisso: um deita, tem sono e não dorme. O rio macio e suspiroso, o cheiro do barro, o verde úmido e o silêncio soltando o pensamento...

Atravessou a faixa de mato pela estreita picada que ele mesmo, dias antes, aviventara a facão, foi dar na estradita vicinal onde mais tarde viria descarregar a Fargo do farinheiro correntino. Os quilombos do Alvear ainda estavam fechados, mas era certo que num deles podia entrar a qualquer hora e até já havia entrado um ror de vezes. Com a vieja Cocona eu me entendo.

Menos de légua costa acima, depois de um banhadal e antes da primeira rua da vila, ficava o La Garza. López entrou por trás, pela cozinha, Cocona fazia pão e ele pronto ficou sabendo que o chinerio tinha saído às compras, só volvia à noitinha. Tomou uns mates com a velha, desacorçoado, já pensava em ir-se quando chegou da vila alguém que ele desconhecia. Era uma mulherinha minga, delgada, figurinha que a natureza regateara em tamanho mas caprichara no desenho. Trazia uma sacola no ombro. Cumprimentou e passou ao corredor dos quartos. López, que dizia qualquer coisa à velha, silenciou. Cocona fez roncar o mate e cabeceou para o corredor: aquela era nova na casa, Maria Rita, tinha sido mulher de um posteiro em Maçambará e o deixara para fazer a vida. Metida a ideias, mas no fundo boa pessoa. Não era certo que ficasse no La Garza, pois se dizia que o marido era violento e não se conformava.

— É um bibelô sem defeito — disse López. — Se ficar, enrica o plantel.

Pegou a cuia que a velha oferecia.

— Tá bonito isso — tornou, vendo Cocona cortar a massa em pedaços iguais e dando por cima dois talhos em cruz. — Se não demora, espero.

Hum, fez a velha, então não sabia que a pressa abatumava? López sorriu, quando eu era guri, ele disse, minha mãe fazia pão dia sim dia não. E como demorava, ele disse, no inverno era a noite inteira levedando. Contou que ela largava uma bolinha de massa num caneco d'água e ele ficava cuidando, aflito, pois só quando a bolinha subia o pão era enfornado.

— Às vezes sinto aquele cheiro. Pão de mãe não tem igual, verdade?

Sí, verdad, Cocona sentou-se e fez um gracejo malicioso por causa dos odores que ele dizia sentir. Em seguida Maria Rita apareceu, vestido mudado, chinelinhas. Cocona a chamou, vení chiquita e que aquele era López, o homem dos rádios. A moça o olhou com interesse, ah, o López, comentou que os aparelhos eram bons de fato e pegavam estações de outras cidades. Cocona acrescentou que um mimo como aquele em cada quarto era complemento muito chic e impressionava a freguesia, pois nem mulher de estancieiro tinha rádio de cabeceira, tinham quando muito, e na sala, aquelas velharias tipo caixa de maçã.

— Também quero um rádio — disse Maria Rita. — Quando é que o senhor vai de novo a Uruguaiana?

A velha interveio, Maria Rita não devia comprar rádio agora, sem saber se ia ficar na casa.

— Mas eu quero um pra mim, sempre quis. A senhora não precisa pagar, eu pago, é pra meu uso.

A velha tomou a cuia de volta. López, de olhos baixos, pensou que ia ficar até mais tarde no La Garza, já se afeiçoava à ideia de dar um galope naquela piguanchinha limpa e bem-feita, ainda não lonqueada por arranhão de barba e cabeceios do peludo.

— Mesmo que a menina não fique pode ter seu rádio.

— Y bueno — Cocona encolheu os ombros.

— Quanto custa um igual ao da Paraguaia? — quis saber a moça.

López deu o preço, incluindo a viagem e os pilas de sua comissão. Ela fez beicinho, o dinheiro não dava, como é caro e espiou Cocona, a velha chupava o amargo de olhos fechados.

— Com plata à mostra se pechincha — disse López. — O importante é que a menina possa adormecer com um chamamé ao pé do ouvido.

Ela sorriu, alegre.

— Então eu quero. Pra quando o senhor pode?

— Uns sete dias. Agora tô passando farinha, tenho compromisso, mas pra semana...

Cocona abriu os olhos. Meteu a mão no bolso do paletó de homem que usava, puxou um maço de dinheiro enrolado num lenço. Equilibrou a cuia no regaço e contou as notas com vagar, franzindo o cenho. Deu a López o equivalente à metade de seu preço.

— Un rojo como el de la Paragua — e como López resmungasse, cortou: — Ni un peso más.

Levantou-se, pegou a bengala atrás da porta e ia salir un rato, disse, já voltava. Disse também que sobrava meia tetera quente, mas que o casal decerto nem ia precisar de tanto. Olhou para López.

— Quedáte con la galleta de tu vieja.

López moveu-se, incomodado. Relanceou Maria Rita, a moça olhava para o chão.

— Vai querer um mate?

Ela fez que não.

— Não é do seu costume?

— É, sim, mas não quero.

Ele se serviu. Maria Rita ergueu-se, da porta viu Cocona afastar-se por uma trilha entre macegas.

— Onde é que ela vai?

— E eu sei? — disse López. — Fica embromando por aí, vá chá de língua. Às vezes visita Dom Horácio. O velho foi caso dela quando moço, dizem. Agora enviuvou e ela vai lá, proseia, toma chimarrão, decerto ficam se toureando.

— O senhor tem caso com mulher daqui?

— Eu?

— Pergunto.

— Eu não tenho caso com ninguém, nem quero.

— É melhor assim, não ter nunca... não acha?

— Pois... isso depende, não?

— O senhor sabe que sou... que fui casada?

López fez um gesto vago.

— Pois é — tornou ela —, um caso antigo, de papel passado e tudo, e não deu certo. Me separei faz pouco e... — interrompeu-se, esfregou as mãos. — Ele me surrava, não me deixava conversar com ninguém.

López serviu-se novamente, muito sério.

— É a vida. E o mate, agora vai?

Ela voltou ao banquinho, cruzou as pernas.

— O senhor acha isso certo?

— Isso o quê?

— Surrar mulher.

— Pois, pra lhe dizer a verdade, até nem sei — disse ele, escolhendo as palavras. — Se é por traição, vá lá, mas surrar de graça...

—Também acho. Mulher, tendo um homem bom, é parceria pra tudo.

— Isso é — fez ele, sinceramente. — E a gente só dá valor na hora de se aliviar.

Ela desviou os olhos, López sorriu e fez roncar repetidas vezes o mate, em sorvinhos curtos.

— Eu, por exemplo, já vou pra mais de semana no seco, ombreando farinha, remando e dormindo. Isso dá nos nervos. Qualquer dia me atraco numa ovelha.

— Credo — ela riu.

— Mas é isso mesmo... Ano passado quase

tive um caso, caso sério, seriíssimo — deu uma risada —, com a borrega de um chacreiro meu vizinho. Quando eu passava pela estrada e não boleava a perna, ela me perseguia do outro lado do fio, mé e mé e dá-lhe mé, de rabinho alçado.

— Que horror — tinha dentes bonitos, um deles meio empinadinho.

— Não quer mate mesmo?

— Quero.

— Tá meio lavado.

— Não faz mal.

López ofereceu a cuia, ela descruzou as pernas, sorriu de novo.

— Já ouvi falar — disse, num tom incerto — que mulher também faz outras coisas.

— Por supuesto — quis logo concordar. — Elas cozinham, remendam, plancham, dão cria, imagine o que ia ser da gente...

— Eu acho — cortou ela —, quer dizer, não é que eu ache, eu ouvi dizer que em Uruguaiana ou no Itaqui tem uma mulher doutora, trabalha no hospital.

— Mulher doutora? Virgem!

— Pois tem. Eu ouvi no rádio da Paraguaia, trabalha no hospital.

— Nunca ouvi falar. A toda hora ando no Itaqui, em Uruguaiana, e ninguém me contou isso.

— Pode ser em São Borja, não me lembro bem.

— E faz operação?

— Não sei, diz que trabalha no hospital.

— Bueno, decerto é ajudanta.

— Por isso quero o rádio — tornou ela, com os olhos muito abertos. — Com o rádio a gente fica sabendo do que acontece no mundo, em Porto Alegre, a gente pode ter ideias...

Pronto, pensou López, ali estava o que Cocona queria dizer, uma mulher de ideias. Com certeza era mais uma querendo virar homem, como a tal doutora de São Borja e uma outra que ele mesmo tinha visto, a professora da Vila do Bororé fazendo um discurso. Mulher fazendo discurso, era só o que faltava. Ela suava no bigode. Meus correligionários, ela gritava, e suava no bigode. Um baixinho de boina retrucou que a dona precisava mesmo era de um pau de mijo para sossegar dos nervos.

Maria Rita ainda estava a falar de ideias, em saber ou não saber, mundo isso e mundo aquilo.

— A menina sabe que ando precisado e fica inventando novidades — disse ele.

Ela alisava o vestidinho na coxa, cabisbaixa.

— Que sei eu de mundo — continuou. — O mundo que eu sei é o rio aí, a farinha, Cocona, a freguesia, esse é o mundo. Aquilo que a gente enxerga, sente. Como isso aqui — e pôs a mão entre as pernas.

A moça empalideceu, levantou-se.

— Meu quarto é o segundo do corredor.

Quis erguer-se junto, mas uma súbita inquietude o prendeu no banco. Outro mate, um cigarro gustado com vagar, ele observava a correção das formigas na cozinha, o trotezito delas de um lado e outro, como desnorteadas, e seu pensamento vagueava igual, disperso, por vastidões que ele não reconhecia. Tentou livrar-se desses melindres com uma cuspida no chão, levantou-se, então um homem cumpridor já não tinha o direito de desentupir os grãos?

Maria Rita deixara a porta aberta e estava deitada na cama, sem o vestido. López entrou, fitou-a com um olhar sombrio. Viu no penteador um gatinho de louça, uma escova, um pente de osso, viu também o vestidinho na cadeira, dobrado, as chinelinhas juntas ao lado da cama. Tirou a campeira, desafivelou o cinto, sentindo que alguma coisa estava errada, torta, emborquilhada, alguma coisa que ele não sabia o que era... e decerto era aquilo que fazia com que sua cabeça quisesse a mulher e seu corpo o cristeasse, só formigasse em dormências. Sentou-se na cama, mudo, ela o fitava.

— Também não é assim — disse, por fim, com uma voz que lhe pareceu de outra pessoa.

— Assim como? Faz de conta que sou a sua borrega.

Ergueu as pernas e tirou a calça. Vendo-a nua, López sentiu um calor no rosto e pensou que agora mesmo ia bochar aquela mina bruaca, agarrar o pescoço dela e espremer até que pusesse para fora, pretinha, aquela língua do diabo. Salvou-a, ou salvou-o, a voz serena e boa com que ela o surpreendeu.

— Também acho que não é assim.

— Claro — disse ele, sem olhar. — Mulher não é que nem ovelha.

— Não quer deitar? — e arredou o corpo, gentil.

Ele se ergueu rapidamente.

— Não, gracias — e prendeu o cinto. — A mim me agradava por demais o seu favor, mas a prosa ia boa e o tempo foi passando... meu farinheiro há de estar no mato.

— Quem sabe tu te atrasa um pouco — e López notou que agora ela o tuteava.

— Outro dia, quando trouxer seu rádio.

Ela sentou-se, cobriu-se com o lençol.

— Tu vai mesmo me trazer o rádio? Não embrabeceu comigo?

— Ora, dona, quem tem que embrabecer é o boi, que é capado e tem guampa.

Ouviu os golpes da bengala de Cocona nas lajes da cozinha, vestiu a campeira. Tirou do bolso o dinheiro que a velha lhe dera e pôs em cima da mesinha, debaixo do castiçal. Ela seguia seus movimentos, mordendo o lábio.

— Não se preocupe. Numa semana boto nessa mesa um Philco vermelho de três ondas, mais tranchã que o da Paragua.

— O dinheiro — ela protestou.

López levou o braço, apertou-lhe a mão.

— Fica com a senhora, como um recuerdo meu.

Maria Rita o fitava intensamente, ele fez um cumprimento de cabeça e saiu. Ao passar pela cozinha despediu-se ligeiramente da velha e fez que não ouviu quando ela indagou se a galleta de Maria Rita também era cheirosa.

No caminho para o sítio onde deixara o barco, ia com pressa, forcejando para não pensar ou só pensando nas suas trinta cargas de farinha. À sua passagem, nos banhadais que espremiam a estradinha, debandava a bicharada: assustados dorminhocos, marrequinhas-piadeiras, tajãs gritões, maçaricos ligeiros, narcejas acrobáticas... e de um ninho de gravetos, na moita de um sarandi, alçou voo a mais graciosa de todas as aves do banhado, a garça-pequena com seu véu de noiva, suas plumas alvíssimas, e voava longe, para o alto, e era o voo mais tristonho e mais bonito. López talvez a tenha visto. Ou talvez não.

Sesmarias do Urutau Mugidor

O ALAMBRADO DE TRÊS FIOS, eu no lado de cá esperando a resposta e o velho no de lá, os olhinhos de rato procurando no automóvel qualquer coisa que contrariasse a história do pneu. Perguntou se eu vinha de longe. Ah, Porto Alegre? E espichou o beiço mole. Teria preferido, talvez, que eu viesse de Alegrete ou de Uruguaiana, de Santana ou Quaraí, forasteiro mais a jeito de lindeiro, alguém para prosear sobre tempo e pasto e repartir o chimarrão.

— Bueno, vá passando — disse, de má vontade.

Seguimos por baixo de um arvoredo esparso de cinamomos e alguns ipês maltratados pela geada. A chuva havia parado, o vento não. Soprava forte ainda, sacudia aquelas álgidas ramadas e logo nos enredava numa tarrafa de respingos. Adiante, o rancho que eu vira da estrada, pequenino, tão frágil que era um milagre continuar em pé depois do temporal.

— É casa de pobre — disse o velho.

Telhado de zinco remendado, chão de terra, nas janelas um tipo de encaixe substituía a dobradiça e o vento se enfiava pelas frestas em afiados assobios. De duas peças dispunha. Na da frente o mobiliário miserável, um jirau com uma velha sela e sobre ela, a dormitar, um casal de pombos. Na outra, tanto quanto eu via, uma lamparina projetando mais sombra do que luz.

Sentamos em cepos na frente do fogão, já bufava na chapa a panelinha e esquentava por trás a chaleira. O velho agarrou a cuia.

— Esses autos... quando mais precisa deixam o cristão a pé.

Experimentou o mate e o primeiro sorvo deitou fora, com uma sonora cuspida ao chão.

— E depois tá carregadito, não? Chibando pra Corrientes?

— São coisas pessoais, minha roupa, meus livros — respondi. — Estou de muda para Uruguaiana.

Assentiu, subitamente respeitoso.

— O senhor é doutor de lei?

A menção dos livros o perturbara, talvez confundisse advogados com cobradores de impostos, fiscais, guardas-aduaneiros. Tranquilizei-o, não, eu não era nada disso, carregava livros porque gostava deles e gostava tanto que de vez em quando escrevia algum.

Apertou os olhos, interessado.

— É preciso uma cabeça e tanto. Aquele mundaréu de letrinha, uma agarrada na outra...

A tarde se adiantava lá fora. E dentro já escurecia, as brasas do fogão deitando uma curta claridade ao redor e aquecendo nossos pés. Ele tirou da orelha um palheiro pela metade.

— Quando eu era gurizote e trabalhava aí no Urutau — começou —, a filha mais nova do finado Querenciano...

Um ruído na outra peça o fez parar. Alguém espirrara, assoara o nariz, talvez, e ele se mexeu no cepo, inquieto. Apontou para a chaleira.

— Vá se servindo, vou buscar a lamparina.

Aproveitei a ausência dele para dar uma olhada na palma da mão. Durante a conversa a mantivera fechada, pulso sobre o joelho, para não causar outro transtorno ao velho, mas via agora que estivera a sangrar novamente.

Que dia!

Em viagem por toda a manhã e um pedaço da tarde, o desvio da estrada, a chuva torrencial, o pneu furado, o macaco escapando e me cortando a mão... eram aventuras demais para um velho Renault e seu desastrado condutor.

O velho pendurou a lamparina no jirau, os pombos se moveram e logo se aquietaram, juntinhos. Tirou dois pratos do armário, garfos, trouxe a panela para a mesa. Estava carrancudo outra vez.

— Gostaria de lavar as mãos.

Mostrou-me a bacia louçada, num tripé.

— Tenho um pequeno ferimento aqui na mão. É bom lavar.

— Ferimento?

— Foi com o macaco.

Aproximou-se.

— É, o macaquito lhe pegou de jeito.

Abriu o armário para revistar as prateleiras, puxou a gaveta da mesa e fechou-a com estrondo, parou debaixo do jirau.

— Não sei onde é que tá essa bosta.

— Que é que o senhor procura?

— A caixa, os remédios que a minha filha tem.

— Por favor, não quero incomodar.

Olhou-me longamente, era a primeira vez que o fazia.

— O senhor não incomoda — disse, com visível esforço.

Um pingo deu no zinco. A chuva ia voltar e o vento persistia, espanejando as paredes com raivosas rabanadas. Ao estalo dos primeiros pingos chegou até nós, de longe, um cacarejo solitário, de perto um bater de asas. Um relâmpago clareou a fresta da janela e o trovão parecia que ia despedaçar o rancho.

— Cumprimente a visita — mandou o velho.

Se não a chamasse por Maria, diria eu que era um rapaz. Cabelos curtos, calças de homem pelo tornozelo e uma camisa branca, suja, remangada, tão larga que não mostrava nem sinal dos seios, sim, diria exatamente isto, que era um rapaz se esforçando para parecer afeminado.

— Boa noite — disse, num fio de voz.

— Faça um curativo na mão do moço.

Tomou posição à minha frente, tensa, empertigada, a caixinha de remédios no colo. Com água oxigenada e um chumaço de algodão começou a limpar a ferida. Suas mãos tremiam um pouco, mas trabalhavam a contento, devagar, tão delicadas quanto permitia o hábito de não o serem.

— Já não tá limpo isso?

— Ainda não, pai, até barro tem.

O velho se surpreendeu, como se esperasse outra resposta.

— A panela vai de novo pro fogo — anunciou, num resmungo.

Me olhava, me examinava, os olhinhos de rato em perseguição aos meus por onde eles andassem. Que pena, eu pensava, um pobre velho sozinho naquelas lonjuras, decerto sempre a recear que um valente daquelas ásperas estradas chegasse a galope e carregasse a chinoca Maria na sua garupa. Eu o compreendia, simpatizava com sua causa, mas nem por isso o contato daqueles dedos proibidos deixava de me deliciar, um pequeno prazer que me concedia naquele fim de tarde, transgressão não criminosa das leis da casa. A ideia era velhaca, me fez sorrir e olhei de novo para o velho. Ele ainda me observava e alguma coisa em mim o descansou. Porque me viu sorrir, talvez, apenas sorrir ao toque daquelas mãos de que tanto se enciumava. Pensou, talvez, no escritor que eu era, no homem de cabeça grande, um sujeito assim jamais fugiria com sua menina. Sorriu também e pegou no armário o terceiro prato de nossa janta.

Eu estava esfomeado, o velho loquaz.

— O moço aí é um escritor de livros — disse ele a Maria, sem disfarçar um estranho orgulho.

Maria comia em silêncio e ele acrescentou:

— Um doutor.

— Eu apenas escrevo histórias.

— Histórias? — repetiu, algo decepcionado. — Como as do Jarau?*

— Mais ou menos isso.

Ele encolheu os ombros.

— De qualquer maneira é preciso...

— Uma cabeça e tanto.

— Taí, me tirou da boca — disse ele, satisfeito.

O feitio da conversa me comprazia e fui adiante: a cabeça ajudava, por certo, mas, mais do que a cabeça, valia o coração.

— É preciso compreender as pessoas, gostar delas. Um escritor sempre pensa que vai salvar alguém de alguma coisa.

---

* Cerro existente no município de Quaraí. Segundo antigas lendas, cuja origem remonta às Missões Jesuíticas, ali tinham sido escondidas grandes riquezas. (N.E.)

O velho não soube o que dizer, pigarreou, mas Maria me fitava intensamente, como se recém me tivesse descoberto no outro lado da mesa, ao alcance da mão. E vendo Maria me olhar, vendo aqueles olhos tão escuros, tão grandes, ardentes, fixos em mim... oh, algo muito forte palpitava dentro dela, uma ansiedade, um desejo oculto, uma súplica feroz, e tudo, de algum modo, parecia estar ligado à minha pessoa.

Chovia ainda e os pombos, agitados, tinham trocado de lugar. O velho agora dava indicações da região, dizia que, por engano, eu tomara certo Corredor do Inferno, na vizinhança do Arroio Garupá, município de Quaraí. Que o Posto da Harmonia não era longe e o assunto do macaco se resolveria na manhã seguinte, com o leiteiro.

— Nunca passa um carro por aqui?
— É que agora mudaram o caminho.

Maria baixava os olhos, uma garfada sem vontade na comida, um gesto perdido, um tremor nos lábios. O velho prosseguia. Contou que naquelas bandas ficavam os campos do velho Querenciano, homem muito rico que, ainda vivo, dera tudo para os filhos. E já me chamava de compadre.

— Isso tudo aqui, compadre, era a Estância do Urutau, cento e tantas quadras de sesmaria. Agora tá tudo repartido pela filharada.

Sanga dos Pedroso, Coxilha da Lata, Chácara Velha, Passo do Garupá, ia desfiando nomes que

lhe eram caros e a crônica de seus antigos afazeres
— caça ao gado xucro nas sesmarias do Urutau, os
rodeios, as marcações, tropeadas ao Plano Alto e
ao Passo da Guarda —, monologava quase, devia
fazer um tempão que não se abria assim. E tão
especial lhe parecia a ocasião que foi buscar no
armário uma garrafa de cachaça.

— Isso aviva os recuerdos — explicou.

Em seguida começou a exumar velhas histórias, queixas amargas contra os estancieiros que por quarenta anos o tinham procurado nas horas de aperto e que agora, na velhice, deixavam-no de lado, como um rebenque velho. Embebedava-se. Me confessou, com lágrimas nos olhos, que um neto do finado Querenciano tentara "fazer mal pra guria", e não o conseguindo, marcara-lhe a coxa com um guaiacaço. Maria baixava os olhos, num vermelhidão.

— Já cavei a sepultura dele — rosnou o velho, as mãos crispadas de violência.

Sua língua pouco a pouco se tornava mais pesada, já quase não podia com ela e não era fácil entendê-lo. Sem demora derrubou a cabeça na mesa, completamente embriagado.

— Vamos colocá-lo na cama — eu disse, tão docemente quanto pude. — Ele não devia beber assim, faz muito mal.

— Ele nunca bebe. A última vez foi quando a mãe morreu.

Na outra peça havia um catre e uma velha cama forrada de pelegos. Acomodei-o na cama, ele fez uma careta, tossiu, pelo canto da boca escorria um fio de baba.

Maria mudou a água da bacia e começou a lavar os pratos, eu me sentei perto do fogão para manter os pés aquecidos e fumar um cigarro. Observava-a. Estava interessado nela, queria saber alguma coisa a seu respeito, compreender aquele momento em que, como alucinada, me cravara os olhos. Mas meu desejo de melhor conhecê-la não era tão grande quanto o receio de apenas abrir o tampão de suas emoções e depois não saber o que fazer com elas. Não, talvez fosse melhor nem dormir ali. Talvez fosse melhor pensar noutras coisas. Nas complicações do fim da viagem, por exemplo. Precisava alugar uma casa, comprar móveis, providências que sempre me embaraçavam. E tentava pensar nisso, contrafeito, quando me dei conta de que já não ouvia o barulho dos pratos. Maria me olhava, imóvel ao lado da bacia.

— Vou fazer a cama do senhor perto do fogão.

— Não precisa — eu disse —, vou dormir no carro.

— Mas o pai falou... vai fazer frio lá fora, aqui de noite a gente gela.

— Talvez não faça tanto.

Passou a mão na mesa, recolhendo farelos de pão.

— O pai falou que o senhor queria pouso.
— Ele não vai se importar, garanto.
— Ele pode achar que tratei o senhor mal.
Juntou as mãos, apertando-as.
— O senhor sabe? Aqui de noite a gente ouve o urutau*, parece o gemido de um boi morrendo.

E o vento vibrava nas abas do zinco. Junto à porta, então, era como fora, a umidade se alojando nos ossos da gente. E no entanto eu transpirava. Queria sair, mas estava preso ao chão.

— Prometo que amanhã a gente vai conversar bastante.

Destranquei a porta. Ela nada disse, olhava furtivamente para sua própria roupa e eu a contemplava com um ridículo nó na garganta, pensando, agora sim, pensando no que, decerto, não quisera pensar antes, nas manhãs dela de fogão e braseiro, nas tardes de panelas gritadeiras, nas noites, o sonho dela ganhando a estrada pelas frestas da janela, ganhando o campo, o arroio, os bolichos do arroio e as canchas de tava para pedir, a medo, um gesto de carinho aos bombachudos. Eu ia pensando e a fitava, pobre avezinha perdida nos confins de um mundo agônico. Por que eu?, eu me perguntava. O velho bebera novamente depois de tanto tempo. Por que eu? Eu trazia uma

---

* Ave noturna dos matos do Rio Grande, cujo lastimoso canto se assemelha a vozes humanas gritando ao longe. O urutau também é considerado protetor das virgens contra as seduções. (N.E.)

nova ordem para dentro de casa, sedutora quem sabe, mas não nutrida da velha, distante da velha, oposta àquele mundo compacto não dilacerado pela cidade e pelo asfalto das novas estradas. Eu poderia romper um elo da frágil corrente que o sustentava. Depois, que aconteceria? E no entanto eu não me movia, não saía e estava ali, como um moeirão fincado, querendo ser o que ela queria que eu fosse.

E tranquei de novo a porta.

Ficaria, sim. Por meu coração eu ficaria. Havia dito que um escritor precisava compreender as pessoas, gostar delas. Não, não devia generalizar, não devia falar senão por mim mesmo. Compreender, amar, no meu amor jamais coubera uma retirada, ainda que em nome de alguma consciência.

Ela trouxe o catre, estava radiante e não sabia.

— Perto do fogão fica quentinho a noite toda. E se o senhor quiser posso botar uma carona na janela pra tapar essa buracama.

— Ah, isso é importante. Não vamos deixar entrar nenhum ventinho.

— Nem o canto do urutau.

— Melhor ainda.

— Vou atiçar as brasas, posso? O pai vai ficar contente de saber que o senhor dormiu aqui.

— Eu sei que vai.

Me sentei no catre e ela se aproximou, apalpando-o.

— Não quer mais um pelego?
— Obrigado, está bem macio.
— Se quiser é só pedir.
— Pode deixar, eu grito: "Maria, outro pelego".

Sorriu, esfregou as mãos.
— Tenho o sono bem leve.
— Como a pluma.
— Senhor?

Passou a mão no cabelo curto. Tirou a lamparina do jirau, colocando-a na mesa. De volta à velha sela os pombos dormitavam, juntinhos.
— Sabe como apaga?
— Ffff.
— É, aí ela apaga.

Sorriu de novo, seus olhos não cessavam de buscar os meus.
— Maria.

Ela me olhou, hesitante.
— Quer... quer mais um pelego?

Levantei o braço, toquei-lhe o queixo e ela se encolheu. Tomei-lhe a mão, ela virou o rosto e em seguida se desprendeu, assustada, ofegante. Um soluço a sacudiu por inteiro e ela correu para o quarto onde estava o velho.

Me levantei, soprei a lamparina. Descalcei as botas. Deitado, aticei as brasas e acendi mais um cigarro. Era bom ouvir lá fora o vento, ouvir a chuva no zinco sem parar. E acima desse ruídos todos ouvi um mugido pungente que parecia brotar das entranhas da terra. Sim, senhor, então no Garupá, no Corredor do Inferno, tínhamos um urutau mugidor? Sorri, contente comigo mesmo. Me cobri com o pelego. Havia muito o que pensar, mas me sentia tranquilo. Me sentia feliz. Sempre soubera que o verbo amar tinha várias maneiras de ser conjugado, uma delas sempre serviria para tornar menos doloroso aquele elo partido. Apaguei o cigarro na terra. Esperei. Ela voltou devagarinho e no escuro se deitou comigo. Estivera chorando, claro, e ainda fungava um pouco.

— Ouviu o urutau? — perguntou, num sussurro.

— Não era urutau nenhum, era um boi — eu disse, e achei que nossa noite estava começando muito bem.

SEGUNDA PARTE

A Língua do Cão Chinês

A mãe não quis que o menino fosse à escola e, durante o dia, não o deixou sair ao pátio. Nem era preciso proibir, ele estava abatido, quieto. Passou a manhã e parte da tarde ora a ver televisão, ora a brincar sem vontade com sua coleção de estampas do Chocolate Surpresa. Condoída, quis animá-lo. Sentou-se ao seu lado no chão e escolheu uma estampa.

— Como é o nome desse cachorrinho?

Ele olhou, mas não respondeu.

À tardinha, deu-lhe outra colher de xarope. Minutos depois, quando voltou ao quarto, encontrou-o dormindo no tapete e o levou para a cama. Antes de cobri-lo, mediu a temperatura. Não tinha subido, era um bom sinal e amanhã, com certeza, voltaria ao normal.

Deu um beijo nele e o deixou.

O menino dormiu até as primeiras horas da noite. Ao acordar, descoberto e com frio, viu o quarto às escuras e não o reconheceu. Chegou a chamar a mãe, mas logo começou a discernir objetos familiares — as estrelinhas do teto, a silhueta do urso sobre o roupeiro, o quadro da Virgem — e, sossegado, adormeceu novamente.

Não viu, portanto, quando a mãe entrou no quarto e pôs a mão em sua testa, nem ouviu quando ela disse ao marido, que esperava à porta:

— Está sem febre.

Tampouco ouviu quando ele convidou:

— Vamos comemorar?

Tornou a acordar, mais tarde — passava da meia-noite. Não sentia frio e, ao contrário, estava suando. Pensou que era de manhã e estranhou a escuridão do quarto, a casa silenciosa, tanto quanto a rua. Esperou que a mãe viesse ajudá-lo a vestir-se, mas ela não apareceu. E ele estava ansioso por brincar. Pulou a guarda da cama e procurou, no tapete, as estampas do chocolate.

Brincou como brincaria um menino cego, tentando descobrir a estampa do Chow Chow. Era o cachorrinho de que mais gostava, com seu focinho chato e sua língua roxa. Tinha aprendido ali que o Chow Chow e outro cão chinês, o Shar Pei, eram os únicos no mundo com a língua daquela cor.

Logo se cansou desse jogo de sombras.

Calçou os chinelinhos e, tateando, alcançou a porta. Abriu-a e tomou o pequeno corredor que levava ao quarto dos pais. No corredor não havia luz, no quarto, pelas venezianas, esgueiravam-se fachos da iluminação da rua. Olhou para a cama e viu aquela massa informe, uma montanha — foi o que pensou — a se sacudir sob as cobertas. E em seguida a voz do pai, não mais do que um murmúrio, e compreendeu que ele estava em cima de sua mãe, esmagando-a com seu peso. Ouviu-a gemer e pensou, horrorizado, que ela estava sofrendo. Mas o cobertor desceu dos ombros de seu pai e ele pôde ver que aqueles ombros estavam nus, e nus também estavam os ombros da mãe. E que eles se abraçavam e se beijavam na boca, algo que, por algum motivo, lembrou-lhe a língua do Chow Chow.

Abraços, beijos, gemidos e suspiros, depois o riso abafado da mãe, não, ninguém estava sofrendo, aquilo era um brinquedo que eles tinham inventado.

E retornou, sem fazer ruído, ao seu quarto escuro.

Arrumou os chinelinhos debaixo da cama e subiu pela guarda. Olhava para o teto, para as estrelinhas que o pai tinha colado, imitando o céu, e via entre elas um cometa que parecia uma língua e sentia uma dor forte no peito, uma dor dolorosa, uma dor cheia de dor: eles querem brincar sozinhos, eles não gostam mais de mim.

IDOLATRIA

Eu olhava para a estrada e tinha a impressão de que jamais na vida chegaríamos a Nhuporã. Que pedaço brabo. O camaleão se esfregava no chassi e o pai praguejava:

— Caminho do diabo!

Nosso Chevrolet era um trinta e oito de carroceria verde-oliva e cabina da mesma cor, só um nadinha mais escura. No para-choque havia uma frase sobre amor de mãe e em cima da cabina uma placa onde o pai anunciava que fazia carreto na cidade, fora dela e ele garantia, de boca, que até fora do estado, pois o Chevrolet não se acanhava nas estradas desse mundo de Deus.

Mas o caminho era do diabo, ele mesmo tinha dito. A pouco mais de légua de Nhuporã o caminhão derrapou, deu um solavanco e tombou de ré na valeta. O pai acelerou, a cabina estremeceu. Ouvíamos os estalos da lataria e o gemido das correntes no barro e na água, mas o caminhão não saiu do lugar. Ele deu um murro no guidom.

— Puta merda.

Quis abrir a porta, ela trancou no barranco.

— Abre a tua.

A minha também trancava e ele se arreliou:

— Como é, ô Moleza!

Empurrou-a com violência.

— Me traz aquelas pedras. E vê se arranca um feixe de alecrim, anda.

Agachou-se junto às rodas e começou a fuçar, jogando grandes porções de barro para os lados. Mal ele tirava, novas porções vinham abaixo, afogando as rodas. Com a testa molhada, escavava sem parar, suspirando, praguejando, merda isso e merda aquilo, e de vez em quando, com raiva, mostrava o punho para o caminhão.

O pai era alto, forte, tinha o cabelo preto e o bigode espesso. Não era raro ele ficar mais de mês em viagem e nem assim a gente se esquecia da cara dele, por causa do nariz, chato como o de um lutador. Bastava lembrar o nariz e o resto se desenhava no pensamento.

— Vamos com essas pedras!

Por que falava assim comigo, tão danado? As pedras, eu as sentia dentro do peito, inamovíveis.

— Não posso, estão enterradas.

— Ah, Moleza.

Meteu as mãos na terra e as arrancou uma a uma. Carreguei-as até o caminhão, enquanto ele se embrenhava no capinzal para pegar o alecrim.

— Pai, pai, o caminhão tá afundando!

A cabeça dele apareceu entre as ervas.

— Não vê que é a água que tá subindo, ô pedaço de mula?

E riu. Ficava bonito quando ria, os dentes bem parelhos e branquinhos.

— Tá com fome?

— Não.

— Vem cá.

Tirou do bolso uma fatia de pão.

— Toma.

— Não quero.

— Toma logo, anda.

— E tu?

— Eu o quê? Come isso.

Trinquei o pão endurecido. Estava bom e minha boca se encheu de saliva.

— Acho que não vamos conseguir nada por hoje. De manhãzinha passa a patrola do DAER*, eles puxam a gente.

Atirou a erva longe e entrou na cabina.

— Ô Moleza, vamos tomar um chimarrão?

Fiz que sim. Ao me aproximar, ele me jogou sua japona.

— Veste isso, vai esfriar.

A japona me dava nos joelhos e ele riu de novo, mostrando os dentes.

— Que bela figura.

A cara dele era tão boa e tão amiga que eu tinha uma vontade enorme de me atirar nos seus

---

* Sigla do departamento responsável pela conservação das estradas estaduais. (N.E.)

braços, de lhe dar um beijo. Mas receava que dissesse: como é, Moleza, tá ficando dengoso? Então aguentei firme ali no barro, com as abas de japona me batendo nas pernas, até que ele me chamou outra vez:

— Como é, vens ou não?

Aí eu fui.

Outro Brinde para Alice

No dia em que se decidiu levar Alice para Porto Alegre, meu pai se arreliou com o Doutor Brás e o chamou de embromador, quase deu umas trompadas nele. Coitado do Doutor Brás. Que havia de fazer o doutor aqui na terra, se Deus, no céu, não favorecia?

Na camisinha de Alice, presa numa joana, cintilava uma relíquia do Santo Sepulcro pescada na quermesse do Divino. Rodeavam seu pescocinho dois escapulários, sendo um abençoado pelo bispo de Uruguaiana. E mais: desde semana mamãe amanhecia de joelhos sobre grãos de milho, implorando ao Coração de Jesus entronizado que Ele desse uma demonstração, desse um sinal de que nem tudo estava perdido. E Ele nada. Alice já não se importava com os chocalhos, nem erguia o bracinho para as fitas cor-de-rosa do mosquiteiro. Na agitação da febre era preciso que ficasse sempre alguém à mão, do contrário era capaz de se enforcar no escapulário abençoado. As mamadeiras ela vomitava, não parava nada no estomagozinho dela. Já nem podia ficar sentada ou fazer cocô no peniquinho, por causa dos inchaços que a picada da agulha levantava na bundinha.

E agora essa, Porto Alegre.

Prometer Porto Alegre para um doente era o mesmo que lhe dar a extrema-unção. Prometia-se o milagre e nem sempre a medicina da capital tinha algum no estoque.

A mera decisão da viagem mergulhou nossa casa num abismo de angústia e desesperança. Tresnoitado, barba por fazer, papai se isolava no fundo do quintal para tomar seu chimarrão. Falava sozinho e ficava sacudindo a cabeça como um pobre-diabo. Mamãe, ao contrário, não parava, começou a fabricar um colchãozinho para o berço de Alice. Procurava pela casa objetos que ninguém ao certo sabia quais eram, e se acaso topava comigo num cruzar de porta, surpreendia-se, murmurava "meu filho", como se recém me visse depois de muito tempo.

Vó Luíza veio da campanha para tomar conta da casa. Chegou de madrugada na carona do leiteiro e trazia uma bolsa de aniagem com abóboras, cenouras, chuchus, laranjas de umbigo e sem. Trouxe também o garrafão de vinho feito em casa, que era como o seu cartão de identidade.

Padrinho Tio Jasson ofereceu o auto, para economizar umas horas da viagem de trem. Papai agradeceu, preferiu o trem e com razão, receava furar um pneu ou outra avaria qualquer que os obrigasse a ficar na estrada.

No dia da viagem, ao fazer sua última prece ao Coração entronizado, braços abertos em cruz, mamãe deu um grito que foi ouvido em toda a vizinhança, até na Farmácia Brás, de onde acudiu um tal de Plínio numa afobação. Pois o Coração, imagine, o Coração tinha sangrado, até pingado em nosso chão de tábuas.

Eles partiram animados, quase alegres, no leito da maria-fumaça, com Alice de touca e enrolada num cobertor. Na estação, papai tratou de negócios com o padrinho Tio Jasson. Mamãe, toda de branco e com um lenço verde na cabeça, recomendou à Vó Luíza que, na medida do possível, fosse adiantando o colchãozinho. Eles confiavam em regressar numa semana, Deus querendo, e, diziam, haveriam de dar boas risadas daquele medo, daquele horror que seria a vida sem Alice, com saudade de Alice.

Mas a janta naquela noite foi silenciosa. Vó Luíza, o padrinho, eu, nós três ao redor da mesa sem toalha, a sopa rasa, o barulho das colheres, o vinho escuro — este, nos beiços da minha avó, era como sangue que vertesse para dentro.

Tio Jasson de tempo em tempo repetia:

— Que milagre, Dona Luíza.

A velha concordava, arqueava as sobrancelhas, emborcava outro copito de seu vinho, mais um brinde para o bem de Alice. No olho dela apontava uma lágrima que em seguida pingaria no vinho. Eu não, eu me continha, atacava um soluço na garganta e ficava me remoendo de pena da velhinha. Eu sabia, e ela mais ainda, que aquele sangue no Coração tinha gosto de outra coisa, e que a nossa Alice, com certeza, nunca mais iria voltar.

Guerras Greco-Pérsicas

Essa Claudia de quem falo, por causa dos gregos, era repetente, e a mãe dela vivia se queixando para a minha: "Ai, a Claudia". E não era só a mãe. Professores, colegas, bastava alguém mencioná-la e todos suspiravam: "Ai, a Claudia". Porque ela era muito esquecida, tonta, e se não conseguia guardar nem os nomes das cidades gregas, como poderia lembrar-se de algo como "Viajante, vai dizer em Esparta que morremos para cumprir suas leis"?

Aproximando-se os exames de fim de ano, aumentava o desespero da mãe dela. "Dona Glória, eu não sobrevivo", ela gemia, debruçada na cerquinha de taquaras. Tanto se lamentou que minha mãe, solidária, ofereceu o filho.

— Quem sabe ele ajuda.

Dona Cotinha arregalou os olhos.

— Ele? Aquele ali?

Duvidosa, franzia a testa e o nariz. A mãe riu, ai, vizinha, a senhora é de morte, e foi buscar meu boletim. Veja só, agosto dez, setembro dez, outubro nove, a História, como se diz, ele já pealou de volta.

Dona Cotinha me olhava, admirada.

— Que é que ele tá fazendo ali?
— Operando um sapo.
— Virgem!

No dia seguinte começamos a lutar com os gregos. No fundo do pátio havia um taquaral, era um lugar sombroso, quieto, nós nos sentávamos no chão com os livros no colo, à nossa volta os outros materiais do estudo: tiras de papel, goma--arábica e linha.

E toca a fazer rolinho.

Um país montanhoso, a Grécia, precioso o seu litoral cheio de enseadas, cabos, ilhas. Um país romântico. Páris fugindo com Helena, os amores de Ares e Afrodite, a deusa Tétis entregando-se a um mortal, e um pequeno sacrifício, um intervalo, afinal, para coisas horríveis como Hilotas e Periecos.

Ainda na primeira semana descobri que Claudia usava sutiã e raspava as axilas. Uma surpresa atrás da outra, pois descobri também, no susto, como Claudia era bonita.

Na véspera do exame vieram as guerras greco--pérsicas. Tínhamos dois rolinhos prontos e o resto da matéria ia nas pernas dela.

— Não pode tomar banho — avisei.

Com pena e nanquim, ora escrevia ela, ora escrevia eu, e eu, a Pérsia desvairada, eu tomava a praia Maratona, suas dunas morenas, seus pastos dourados, mas tomava e a perdia em avanços e recuos de incerta glória, porque à frente se me opunham dez mil atenienses e os mil voluntários de Plateia, ciosos de seu passado invicto. E se intentava um caminho inverso, pobre Xerxes, lá me defrontava com Leônidas e seus trezentos espartanos loucos. Um impasse e Claudia me olhou, vermelha.

— Chega, esse ponto pode não cair.
— E se cair...

Comecei a escrever: "Ao norte da Grécia, entre os montes..." Ela encolheu-se, levantou-se e foi embora.

Claudia passou no exame, mas não apareceu para contar. Eu o soube por Dona Cotinha, que fez um alvoroço no quintal. "Fenômeno", gritava, e ao agradecer, exultante, a colaboração da vizinha, lascou:

— Dona Glória, a senhora é uma mulher de sorte. Uma boa casa, um marido que não é putanheiro e um filhote que não se arrenega, chiquitín pero cumplidor.

Minha mãe sorriu, modesta. Perguntou pela Claudia, está feliz a pobrezinha? Imagine, Dona Glória, está no céu, mas... E confessou que Claudia andava quieta, arredia, decerto era fraqueza pelo esforço feito.

— Que nada — disse a mãe. — Ela já...?
— Já.
— Então é isso. Dá anemia.

No outro dia, finalmente, Claudia veio ao pátio.

— A tinta não saiu — e olhava para o chão.

Perguntei se tinha esfregado. Tinha. Então tem que ser com sabão especial, eu disse, de mecânico.

— Na oficina eu não vou.

Achei graça, não é isso, é um sabão cor-de-rosa que se compra no armazém. Ela riu também. Como era bonita, a Claudia.

À tardinha fui encontrá-la no taquaral, levando balde, esponja e o sabão. Ela sentou-se, ergueu a saia. Eu molhava, ensaboava, esfregava, molhava de novo, ai, a Claudia, quase no fim, ofegando, ela apertou minha mão com as pernas.

— Falta muito?

— Só as Termópilas.

— Então limpa — murmurou, fechando os olhos.

Ao norte da Grécia, entre os montes, havia um desfiladeiro que era preciso atravessar para consumar a invasão. Era uma passagem muito estreita, quase inacessível, mas o dedo de um traidor guiou o inimigo por um caminho secreto da montanha.

Majestic Hotel

Para Paulo Hecker Filho

Entre cadernos velhos e brinquedos, na cômoda, encontrou um soldadinho de chumbo que dava por perdido. Pegou-o rapidamente, com receio de ter-se enganado, mas era ele, sim, aquele que trouxera de Porto Alegre, e que lindo soldadinho, com capacete de espigão, boldrié, mochila e espingardinha.

Fazia tanto tempo aquilo...

Não, nem tanto tempo assim, quatro ou cinco anos, talvez, ainda se lembrava do trem sacudindo e apitando, da buliçosa gare da estação, do carro de praça e, com mais nitidez, das sacadas que uniam os dois blocos do Majestic Hotel, onde o velho despenteado lhe dera um puxão no braço.

Nunca lhe disseram e tampouco perguntou por que tinham feito aquela viagem. Decerto era para consultar um médico, que outro motivo levaria à capital uma jovem mulher e seu filhinho? Também nunca soube por que, no hotel, ela não o levara uma só vez ao restaurante. Ficava no quarto, de repente ela aparecia com um pratinho encoberto por um guardanapo. Achava que estava doente, por isso não ia ao restaurante. Mas num daqueles dias ela o levou a uma rua comprida, cheia de gente, e ele supôs, contente, que talvez já estivesse curado.

Que rua grande, que rua enorme e era preciso caminhar, caminhar... teriam ido ao médico? Não se lembrava. Mas lembrava-se muito bem da volta ao hotel, os dois de mãos dadas e ele orgulhoso de estar ao lado dela, tão bonita e cheirosa que ela era.

Passaram depois numa praça com um laguinho e um cavalo de pedra e também ali havia pessoas demais, só que sentadas e pareciam de pedra como o cavalo do laguinho. E outras em pé, paradas, e outras movendo-se lentamente pelos caminhos da praça, e outras dormindo sobre jornais nos canteiros, e no meio desse exército de caras pôde notar que um homem os seguia e os olhava.

Não que os olhasse.

Olhava para ela.

Assustado, segurou a mão dela com força. Continuaram andando e depois da praça olhou para trás e lá estava o mesmo homem, destacando-se dos outros, como um general à frente daquele exército. Queria apressar-se, puxando-a, mas a mão dela resistia e seus próprios pés, como nos pesadelos, grudavam no chão.

Quando, por fim, chegaram no hotel e pediram a chave, ficou espiando a porta e viu, com a respiração suspensa, que o homem entrava também e ainda olhava para ela. Teve a impressão, não a certeza, de que ela sorria levemente. Queria avisá-la, cuidado, ele quer te roubar de mim e de papai, mas não se animava, receoso de que sorrisse novamente aquele sorriso perigoso.

Subiram.

No quarto, vigiava-a. Ela se ausentou por uns minutos, retornou de banho tomado e começou a vestir-se para sair outra vez. Vou buscar tua comidinha, amor. Penteou-se, perfumou-se e calçou o sapatinho alto, de tiras pretas, que mostrava seus dedinhos delicados — tão delicados que, só de vê-los, aumentava sua inquietação. Não sabia que horas eram, achava que era dia e no entanto ela o fez deitar-se e que ficasse bem comportadinho, não abrisse a janela nem a porta e muito menos fosse àqueles sacadões altíssimos.

Deitado, esperava, e ouvia vozes no corredor e portas que batiam e ouvia também arrulhos de pombas e, às vezes longe, às vezes perto, a correria dos bondes a rinchar. E tinha medo, fome, tinha falta de ar e ela não voltava. A cama conservava o cheiro dela e ele, abraçado ao travesseiro, suplicava: "Volta, mamãe". E ela não voltava. E quando lhe ocorreu que ela poderia não voltar, desceu da cama, abriu a porta e seguiu pelo corredor, na esperança de avistá-la das sacadas. Subiu na grade e, sem entender, viu que era noite. Depois pensou que talvez tivesse dormido sem sentir, ou talvez já fosse noite antes e, por causa das luzes, pudesse ter pensado que era dia.

Foi então que apareceu o velho de cabelo em pé e quis pegar seu braço. Correu para o canto da sacada, ia gritar, mas o velho foi embora e em seguida veio um empregado do hotel, que o levou de volta ao quarto e permaneceu junto à porta aberta, sentado num banquinho, conversando, rindo, dizendo que tinha um filho de seu tamanho chamado José Pedro.

José Pedro, isso.

O pai de José Pedro só se retirou quando ela chegou com o pratinho da janta, preocupada, esbaforida, e depois de abraçá-lo, um abraço tão apertado que quase o sufocou, tirou da bolsa um embrulhinho e olha o que eu trouxe para o meu mimoso.

Não quis abrir, sentido, e ela mesma o fez. Gostaste, amor? Ele olhou e já não estava mais sentido. Estava feliz. Afinal, ela tinha voltado e com ela não viera um general, só aquele soldadinho envolto no perfume dela, tão bonitinho, o mesmo que agora ele apertava na mão e que, entre as lembranças do Majestic Hotel, era sua única certeza.

Não Chore, Papai

Embora você proibisse, tínhamos combinado: depois da sesta iríamos ao rio e a bicicleta já estava no corredor que ia dar na rua. Era uma Birmingham que Tia Gioconda comprara em São Paulo e enlouquecia os piás da vizinhança, que a pediam para andar na praça e depois, agradecidos, me presenteavam com estampas do Sabonete Eucalol.

Na hora da sesta nossa rua era como as ruas de uma cidade morta. Os raros automóveis pareciam sestear também, à sombra dos cinamomos, e nenhum vivente se expunha ao fogo das calçadas. Às vezes passava chiando uma carroça e então alguém, querendo, podia pensar: como é triste a vida de cavalo.

Em casa a sesta era completa, o cachorro sesteava, o gato, sesteavam as galinhas nos cantos sombrios do galinheiro. Mariozinho e eu, você mandava, sesteávamos também, mas naquela tarde a obediência era fingida.

Longe, longíssimo era o rio, para alcançá-lo era preciso atravessar a cidade, o subúrbio e um descampado de perigosa solidão. Mas o que e a quem temeríamos, se tínhamos a Birmingham? Era a melhor bicicleta do mundo, macia de pedalar coxilha acima e como dava gosto de ouvir, nos lançantes, o delicado sussurro da catraca.

Tínhamos a Birmingham, mas era a primeira vez que, no rio, não tínhamos você, por isso redobrei os cuidados com o mano. Fiz com que sentasse na areia para juntar seixos e conchinhas e enquanto isso eu, que era maior e tinha pernas compridas, entrava n'água até o peito e me segurava no pilar da ponte ferroviária.

Estava nu e ali me deixei ficar, a fruir cada minuto, cada segundo daquela mansa liberdade, vendo o rio como jamais o vira, tão amável e bonito como teriam sido, quem sabe, os rios do Paraíso. E era muito bom saber que ele ia dar num grande rio e este num maior ainda, e que as mesmas águas, dando no mar, iam banhar terras distantes, tão distantes que nem Tia Gioconda conhecia.

Eu viajava nessas águas e cada porto era uma estampa do cheiroso sabonete.

Senhores passageiros, este é o Taj Mahal, na Índia, e vejam a Catedral de Notre Dame na capital da França, a Esfinge do Egito, o Partenon da Grécia e esta, senhores passageiros, é a Grande Muralha da China — isso sem falar nas antigas maravilhas, entre elas a que eu mais admirava, os jardins suspensos que Nabucodonosor mandara fazer para sua amada, a filha de Ciáxares, que desafeita ao pó da Babilônia vivia nostálgica das verduras da Média.

E me prometia viajar de verdade, um dia, quando crescesse, e levar meu irmãozinho para que não se tornasse, ai que pena, mais um cavalo nas ruas da cidade morta, e então vi no alto do barranco você e seu Austin.

Comecei a voltar e perdi o pé e nadei tão furiosamente que, adiante, já braceava no raso e não sabia. Levantei-me, exausto, você estava à minha frente, rubro e com as mãos crispadas.

Mariozinho foi com você no Austin, eu pedalando atrás e adivinhando o outro lado da aventura: aquele rio que parecia vir do Paraíso ia desembocar no Inferno.

Você estacionou o carro e mandou o mano entrar. Pôs-se a amaldiçoar Tia Gioconda e, agarrando a bicicleta, ergueu-a sobre a cabeça e a jogou no chão. Minha Birmingham, gritei. Corri para levantá-la, mas você se interpôs, desapertou o cinto e apontou para a garagem, medonho lugar dos meus corretivos.

Sentado no chão, entre cabeceiras de velhas camas e caixotes de ferragem caseira, esperei que você viesse. Esperei sem medo, nenhum castigo seria mais doloroso do que aquele que você já dera. Mas você não veio. Quem veio foi mamãe, com um copo de leite e um pires de bolachinha maria.

Pediu que comesse e fosse lhe pedir perdão. E passava a mão na minha cabeça, compassiva e triste.

Entrei no quarto. Você estava sentado na cama, com o rosto entre as mãos. "Papai", e você me olhou como se não me conhecesse ou eu não estivesse ali. "Perdão", pedi. Você fez que sim com a cabeça e no mesmo instante dei meia-volta, fui recolher minha pobre bicicleta, dizendo a mim mesmo, jurando até, que você podia perdoar quantas vezes quisesse, mas que eu jamais o perdoaria.

Mas não chore, papai.

Quem, em menino, desafeito ao pó de sua cidade, sonhou com os jardins da Babilônia e outras estampas do Sabonete Eucalol, não acha em seu coração lugar para o rancor. Eu jurei em falso. Eu perdoei você.

TERCEIRA PARTE

Café Paris

Ela veio ao hotel no começo da tarde e me esperava na saleta ao lado da portaria.

— Eu soube que tinhas chegado. Imagina, estamos na mesma cidade, um perto do outro, depois de tantos anos.

Ainda era bonita, certamente, mas estava um pouco envelhecida e trazia nos olhos, ou talvez na boca, certo traço que tornava seu rosto um tanto amargo. Ela também me examinava, decerto pensando coisas semelhantes: que eu estava meio gasto, com muitos cabelos brancos, que a musculatura dos meus braços já não era tão firme e meus dentes não eram os mesmos.

Perguntei se me acompanhava numa bebida e sugeri um martíni, sua predileção de moça. Não, não queria nada, e quando insisti ela disse que gostaria, sim, de tomar um martíni, ou diversos, mas nada tomaria. Riu-se.

— O que eu queria mesmo era subir lá no teu quarto, depois tomar um porre — e sorria ainda quando acrescentou: — O sonho é pra sonhar, não é? Quem sabe a gente toma um café nalgum lugar... um lugar discreto.

— Está bem — eu disse —, mas os lugares discretos de Porto Alegre eu acho que não conheço mais.

— Pode ser no Café Paris.

E me olhava de modo oblíquo, travesso. Os anos lhe haviam cobrado a conta exata, mas em muitas coisas ela continuava a mesma, certos gestos, certa maneira de me olhar, certo encanto que era só dela e que fazia renascer velhas e fortes emoções. Sentia-me feliz por isso, ou dir-se-ia vitorioso, como se me fitasse num espelho e me descobrisse inteiro depois de um sonho em que me despedaçara.

No caminho para a Azenha, que fizemos de táxi, contou-me que uma vez descobriu meu nome no guia telefônico de São Paulo. Fez uma chamada, atendeu uma voz de mulher e ela desligou. Mais tarde ligou de novo, atendeu um homem, mas a voz era outra, o jeito era outro.

— Nunca estive em São Paulo.

— Mas era teu nome.

— Nunca tive telefone.

— Claro, eu devia imaginar. Nem telefone, nem casa, nem carro, nem ao menos uma roupa bonita.

— Continuo pobre — eu disse.

Ela tocou na minha mão.

— Me preocupo tanto contigo... Às vezes penso que podes estar doente e sem ninguém pra te cuidar, penso nos botões das tuas camisas...

— Obrigado. E no meu coração?

Ela olhou pela janela do carro, como distraída, depois começou a falar no Café Paris, que era um lugar atraente, aconchegante, que lá a gente podia conversar, tomar um chá, e continuou falando de outras coisas, menos de uma, aquela que era o nosso maior segredo.

No Café, escolheu uma mesa de canto, protegida.

— Quem sabe um martíni — insisti.

— Não, eu preferia...

— Um martíni não vai te fazer chegar em casa com cheiro de quem se regalou.

— Vá lá, um martíni doce.

— Dois — pedi ao garçom.

Falamos um pouco de nossas vidas, não muito, e a conversa, que se anunciava fácil, talvez emocionante, ia se tornando difícil e forçada, como tropeçava e se espatifava ao chão e então era preciso buscar novos argumentos para erguê-la e mantê-la em pé. Recomeçávamos. E recomeçamos outras vezes até que, de repente, o silêncio como ocupou mais um lugar à mesa. Ela o afugentou com visível esforço:

— Laura vai fazer dez anos.

Então era esse o nome?

— Laura — eu disse.

— Gostas?

— Sim, é lindo.

— Uma vez me disseste que gostavas desse nome.

— É lindo.

— Olha — e abriu a bolsa —, te trouxe duas fotos, esta é recente, e nesta ela está com oito anos, foi no dia do aniversário.

Peguei as fotografias, minhas mãos tremiam.

— Não é bonita?

Ela parecia querer lembrar, com orgulho, que nós a fizéramos juntos, pedaço a pedaço, em tardes de um amor desesperado e louco, em quartos de hotéis obscuros, em horas contadas a suor e a arquejos e a suspiros de medo, e que trazia nos olhos...

— Viste os olhos?

...talvez, a beleza e o susto do fruto proibido.

— Esses olhos são os teus — murmurei.

No seu rosto se acentuou aquele traço amargo.

— Estou com um vazio no peito — eu disse —, mas é tão bom, é um sentimento tão amável...

Em silêncio, ela olhava para o cálice vazio.

— Não é como a gente sentia antes?

— Não sei.

— É exatamente como antes.

— Por que ficar lembrando? As coisas nunca voltam a ser como eram antes.

— Eu gostaria que voltassem.

— Ficaste louco?

Guardei as fotografias no bolso da camisa. Ela afastara a cortina e olhava para a rua.

— Quem sabe a gente toma um porre — sugeri.

Ela fez que não com a cabeça.

— Que outra coisa isso pode merecer, senão um porre?

— Eu tenho que ir.

— Mas é tão cedo...

— Não posso ficar mais.

Chamei o garçom, pedi mais dois martínis.

— Um — ela corrigiu.

Levantou-se.

— Vou à toalete, devo estar com uma cara de doente.

O garçom trouxe a bebida.

— Leve de volta, por favor — pedi. — Me traga uma cuba libre, como nos velhos tempos.

O homem sorriu, fez uma pequena mesura e afastou-se. Ela retornava, mas não voltou a sentar-se.

— Pagas a despesa?

— Que pergunta.

— Por quê? Antigamente era eu quem pagava. Me deixas pagar?

— Claro, como nos velhos tempos.

Ela inclinou-se e me beijou no rosto.

— Guardaste as fotografias?

— Guardei, estão aqui.

— Vais olhar pra elas?

— Com toda a certeza. Vou olhar sempre.

— E cuida da tua saúde, eu me preocupo tanto, eu penso tanto...

— Vou cuidar, prometo.

— Olha, eu queria... — começou ela, mas emudeceu, balançou a cabeça e voltou-se e foi embora.

Acendi um cigarro, minhas mãos ainda tremiam.

— Sua cuba, senhor — disse o garçom.

A Dama do Bar Nevada

Na praça, à meia-tarde, vinham espairecer os velhos. Alguns punham-se a andar de esquina a esquina, passinhos miúdos e receosos, outros cavaqueavam em pequenos grupos ou jogavam damas nos tabuleiros de pedra, mas a maioria deixava-se quedar a sós nos bancos, olhando vagamente ao longe, como bois sentados. O rapaz contou trinta e dois velhos, trinta e três com o que estava ao seu lado, um tipo sombrio que juntava as mãos e fazia estalar as articulações dos dedos.

Atrás do banco alguém falava, a espaços interrompido por um coro de murmúrios. Ele captou fragmentos: "...as pernas dentro d'água até os joelhos... atua sobre os rins... revulsivo... a secreção da urina..." Não ouviu mais nada, voltou-se, os velhos tinham mudado de lugar e um deles o olhava, como ressentido.

O relógio do passeio marcou a temperatura, piscou, marcou as horas. Vou aguentar mais um pouquinho, pensou o rapaz, não adianta comer tão cedo e depois ter fome na hora de dormir. Para distrair-se contou de novo os velhos: vinte e sete, incluído o que estalava os dedos. E a cada vez contava menos velhos. Ao entardecer a humanidade da praça, lentamente, ia sendo substituída por espécimes de múltipla bizarria, que se acomodavam nos bancos e deixavam o corpo escorregar, como na poltrona do cinema.

Não, não podia esperar mais, não aguentava, o ar que engolia parecia transportar minúsculas agulhas que se alojavam, pungentes, na parede do estômago. Chega de tortura, disse consigo. Atravessou a rua e entrou no Bar Nevada. Ocupou uma das mesas e à garçonete de avental manchado pediu um sanduíche e meia taça de café.

— Estou com um pouco de pressa — acrescentou.

Na mesa do fundo um casal se acariciava, na outra, mais próxima, um homem acabara de jantar e lia o jornal, enforquilhando os óculos na ponta do nariz. Na balcão bebia chope um japonês.

Na Praça da Alfândega, ao anoitecer, os velhos vão-se embora. Despedem-se uns dos outros, partem vacilantes, curvados, ombreando a solidão nas costas murchas. Ele os via pelos grandes vidros do Bar Nevada e logo já não mais, encobertos pelo avental manchado. Com licença e a garçonete o serviu como quem despeja um prato na pia da cozinha. Ele ficou olhando, assombrado: aquele era o sanduíche da casa? Tão magrinho? Pensou em reclamar, devolver, mas... e as agulhinhas? De mais a mais era preciso ter humor para não sucumbir às agruras cotidianas. Por exemplo: comer lentamente, mastigando os sólidos até que se liquefizessem. Prevenia úlceras. E se não enchia o estômago, cansava a boca, o que vinha a dar na mesma.

Pôs-se a comer e viu entrar no bar uma senhora idosa, daquelas senhoras que se pintam como as coristas, tentando recobrar no espelho os encantos de um tempo morto. Usava roupas modernas, de cores afrontosas, e ao aproximar-se trouxe uma onda de perfume nauseante. Não, ele protestou com os olhos, não vá sentar-se aqui e já ela pedia licença, delicadamente, não tinha escolha entre os namorados abraçados, o homem que abria o jornal na mesa e o outro que, parcimonioso, ruminava o pão para cansar a boca.

— Moça, por favor — e pediu chá com torradas.

Ele mastigava e parava de mastigar, embrulhado com o perfume e a grossa maquiagem do rosto dela. No balcão o japonês ainda bebia, cabeça pendendo, quase a tocar na pequena pilha de bolachas de chope. Na mesa ao lado o homem dobrara o jornal e tomava um cafezinho. Os namorados tinham ido embora.

Quando a garçonete trouxe o chá, ele pediu a conta. Pagou e a moça parada ali, com o dinheiro na mão.

— Tá faltando.

A velha o olhou, o homem do jornal também. A garçonete ia falar, ele se antecipou:

— É tão pouco, outro dia eu pago.

— Tudo bem.

A velha abriu a bolsa.

— Quanto está faltando?

— Por favor — ele protestou.

— Faço questão, onde já se viu fazerem cara feia por tão pouca coisa?

— Eu não fiz cara feia — reagiu a moça —, eu disse tudo bem.

— Ela não fez cara feia, minha senhora, ela disse tudo bem.

— Ela disse tudo bem, mas fez cara feia, sim, imagine, aqui está, pronto, pode ficar com o troco.

A garçonete hesitou, mas acabou por aceitar, visivelmente enfurecida.

— Não precisava a senhora se incomodar — ele disse. — Enfim, muito obrigado, amanhã eu...

Não continuou. No dia seguinte não a encontraria. Se a encontrasse, dificilmente teria como pagá-la. E se tivesse, quem procura alguém para pagar o valor de uma caixa de fósforos? Sem saber se ia embora ou ficava um pouco para retribuir a gentileza, deu com os olhos no homem da mesa vizinha, que desviou os seus.

— O senhor aceita um chá?

— Não, obrigado.

— Não gosta?

— Não, não é isso.

— Tem pressa?

— Não, mas...

— Mas?

— Está bem — disse ele. — Faço-lhe companhia.

Ela sorriu.

— É bom ter companhia. Moça, mais um chá, sim? O senhor não gosta de chá? Não tem o hábito? Esta é uma das poucas casas do centro que ainda servem chá. Antigamente havia cafés, confeitarias, a Rua da Praia era bonita. Agora é isso que se sabe. De dia bancos, de noite os assaltantes.

— É a luta.

— O senhor acha? Mas no fim eles se entendem. De dia os ricos roubam dos pobres, de noite os pobres roubam dos ricos. E os do meio? Os do meio são roubados pelos dois, de noite e de dia.

Ele achou graça.

— Estou aborrecendo o senhor com essa conversa tola — tornou ela.

— Não, isso é importante, a sobrevivência, o dinheiro.

Ela esperou que a garçonete o servisse, depois perguntou, com um deliberado e simpático ar de espanto:

— Acha o dinheiro importante?

— É uma boa coisa para se gastar.

— Agora o senhor disse uma verdade. Bom

para gastar. A vida é curta, precisamos gozá-la e o dinheiro facilita, não concorda?

— Completamente.

— Viver, não sobreviver...

— Sem dúvida.

— ...embora nem sempre consigamos viver como gostaríamos. Que pena.

— É verdade. Já se disse que ninguém vive tão intensamente quanto quer, só os toureiros.*

— Lindo. Quer outro chá?

— Se faz questão...

— Faço, sim.

Chamou de novo a moça, que se moveu detrás do balcão, agora sim, com acintosa má vontade.

— Mais dois chás, por favor — e o consultou: — Torradas?

— Torradas.

— Na manteiga — pediu.

A garçonete recolheu com maus modos a louça usada, ela sorriu mais com os olhos do que com os lábios, complacente.

— Quem é essa pessoa que falou sobre os toureiros?

— Um americano.

— Seu amigo?

— Não... sim, de certa forma.

— Como é bom ter amigos inteligentes. Posso fazer uma pergunta? Qual é sua profissão?

---

* O personagem cita Hemingway. (N.E.)

Ele disse nenhuma.

— Não trabalha?

Trabalhava, claro, no que aparecia.

— Ah, isso tem suas vantagens. O senhor deve ter mil e uma habilidades.

— Não, não tenho — e negou também com a cabeça. — E é por isso que acabo não durando nos empregos.

— Desculpe — murmurou, logo sorriu. — Não leve a mal eu fazer perguntas, sou curiosa, sou mulher...

Ele não levava, tudo bem, e então ela quis saber mais, ele ia respondendo e se surpreendendo à vontade, a bebericar o segundo chá e a recitar a ladainha de suas vicissitudes.

Era bom falar.

Contou que vendera a aliança que guardara do casamento, em seguida o relógio, os óculos de sombra, o radinho, e que começara a vender também as roupas. E que houvera um momento em que olhara ao redor de si e não vira mais nada que pudesse vender, pois ninguém comprava meias, sapatos gastos, cuecas, camisetas, e isso era tudo que deixara numa caixa de papelão, no guarda-malas da Estação Rodoviária.

— Tive de entregar o quarto. Três semanas sem pagar, a mulher fez um escândalo.

— Meu Deus, e onde o senhor está morando?

— Pobre não mora, cai no chão.

Era um gracejo, mas ela não riu.

— Não sei — o tom era inseguro, receoso —, não é tão pobre quem tem um corpo jovem.

Olhava para o resto do chá e mexia lentamente a colherzinha.

— Não posso ajudar — tornou, rouca. — Não tenho como lhe arranjar emprego e vivo modestamente, com uma pensão tão pequena que o senhor não acreditaria. Mas possuo algumas joias, um dinheirinho no banco...

Falava baixo e continuava a mexer a colher. Suava no buço, no queixo, no pescoço, e o suor, misturado ao cosmético, fazia pensar que estivesse com pequenas manchas de graxa incolor.

— Falei por falar — disse ele, seco. — De qualquer maneira fico muito agradecido pelo gesto, e também pelo chá.

Ela nada disse.

— Se a senhora dá licença — e arredou a cadeira.

— Por favor — era quase uma súplica —, não vá embora.

Olhava-a, surpreso.

— Sei bem que o senhor nada pediu. Eu pensava em outra coisa — e animou-se —, sim, sim, eu posso pagar.

Voltou a falar nas joias, nas economias, insistindo em que era importante aproveitar a vida, fazer bom uso do dinheiro, e que podia confiar nele, pois ele era uma pessoa decente, isso se via, não era um marginal.

— A senhora quer pagar... a mim? — perguntou, cauteloso.

Ela abriu os olhos, como admirada ou decepcionada.

— Se fosse fácil explicar eu já teria explicado, mas não pensei que fosse tão difícil compreender.

Ele nada encontrou para dizer.

— Sou uma mulher sozinha — continuou. — Perdi meu marido há muitos anos e desde então... nunca tive oportunidade, tive medo, mas o senhor... hoje não estou com medo, eu... — e baixou os olhos — ...eu tenho certa idade, mas ainda sou saudável.

— Entendo — ele disse, ou ouviu sua voz dizer.

— Posso pagar.

O homem do jornal levantou-se. Teria escutado alguma coisa ou ao menos pressentido, pois ao passar fitou-os com desprezo.

— Talvez eu não seja a pessoa certa.

— Quer dizer atração, desejo?

— Isso também.

— Mas eu não lhe peço que sinta isso. Mesmo sem isso há maneiras de fazer um corpo sentir-se jovem... e feliz.

— Maneiras há.

Ela sacudiu a cabeça.

— Não é uma proposta imoral. O senhor precisa de ajuda e eu também.

Ele a olhava, notando o esforço que fazia para sorrir e ocultar o nervosismo, e então pensou que um dia, como todos, ela fora adolescente, tivera namorados, e que decerto muitas vezes, ao espelho, ruborizara ao se achar atraente e sedutora, pronta para o amor. O tempo a maltratara, mas ela não se entregava e era bonita, era muito bonita assim, lutando, não era como aqueles mortos-vivos da Praça da Alfândega, espectros humanos que se aposentavam do serviço público e da vida. Ele sim, parecia-se com os velhos, aceitando aquele sanduíche-anão e a inconstância dos empregos e a perda de seus objetos pessoais e a fome e ainda pensando, como acabara de pensar, que a sobrevivência era uma questão de humor. Filósofo das arábias. Morto-vivo. Ele e o japonês, aquele babaquara que agora dormia no balcão, derrotado e sozinho. Outro boi sentado.

— É uma proposta honesta — disse.

Ela chamou a garçonete, pagou a conta. Tomou um caderninho e arrancou uma folha. Com a mão trêmula, presa de uma agitação que nem de longe ele suspeitaria naquele corpo que julgava morto, escreveu um nome e um endereço.

— Quando — ele perguntou.

Ela se ergueu.

— Se não for incômodo, hoje.

— Mais tarde?

Tocou no braço dele com a mão úmida.

— Por favor, agora.

E deixou o Bar Nevada. No balcão a moça tentava, inutilmente, reanimar o japonês.

Um Aceno na Garoa

Não creio que a tivesse visto antes. Era uma rua sossegada depois das dez da noite e se chegasse à janela facilmente a notaria, encolhida num portal ou andando para espantar o frio. Mas era possível, sim, que tivesse estado ali naquelas semanas todas. Eu pouco olhava à janela e depois das dez quase nunca, com aquele tempo feio.

Segunda-feira e eu acabava de chegar da rua, mais um dia procurando emprego em vão. Pendurei a roupa úmida no porta-toalha do banheiro e vesti o abrigo cinza que era também o meu pijama. Preparava um café para me aquecer e então a vi lá na calçada, rente à parede para proteger-se da garoa. Vinha um homem de capote e ela se adiantou. O homem passou de cabeça baixa, deteve-se na esquina como a orientar-se, logo tornou a andar e perdeu-se na sombra. Pouco depois outro homem desceu a rua. Ela o interceptou e na chama do fósforo vi seus cabelos longos e escuros, os olhos sombreados, a boca de carmim. Mas o segundo homem acendeu-lhe o cigarro e também se foi.

O café tomei sem açúcar, à noite não adoçava para economizar, do pãozinho comi só a metade. Deitei-me, até me felicitei por poder fazê-lo sob um cobertor, numa noite como aquela, e de repente um grito ali na rua, como debaixo da janela. Um grito esganiçado e fui espiar, cheio de medo e de presságios. Havia um carro parado, e um homem, na calçada, torcia o braço da mulher.

Abri a janela e o chamei:

— Ei, amigo.

Ele entrou no automóvel, me insultou e foi embora. A mulher pôs-se a juntar alguns objetos.

— Tudo bem?

— Tudo bem — e riu. — O cachorro ia me tomando uns pilas.

A voz não combinava com a figura que eu pudera entrever no lume do fósforo. Renovei um pensamento anterior, de quando estivera a observá-la: agradava-me uma companhia naquela noite, agradava-me ter uma mulher e acreditava que não lhe faria mal algum recolher-se a um lugar mais aquecido, se estava sem clientes e, na rua deserta, sujeita a violências.

— Vens tomar café comigo?

Acabava de fechar a bolsa.

— Café?

— Cai bem com um tempo desses.

Olhou para os lados, não vinha ninguém.

— Como é que eu entro?

Lancei a chave do edifício e fui esperá-la à minha porta. Era uma menina, com uma incrível pintura para dissimular os traços da idade.

— Tá bom aqui dentro, meus dedos estão duros.

Acendi o fogareiro, ela sentou-se na poltrona ao lado da mesa.

— Forte ou fraco?
— Bem forte. Quer que eu faça?
— Tá quase.

Conservava a bolsa no regaço.

— Tu mora sozinho, não é?
— Dá pra notar?
— Essa sujeira toda... não é chato? Eu não gosto de ficar sozinha, começo a suar.
— Açúcar?

Fez que não e assim era melhor, só me restava um pacotinho para meia dúzia de manhãs. Que ano penoso. Três meses sem trabalho e até os amigos me evitavam, para não ter de contribuir com dinheiro e fianças. Mas isso era o de menos. O pior era pensar, como pensava então, que aqueles poucos homens eram todos os homens e que entre eles — tão distantes uns dos outros se achavam, cada qual com sua angústia de viver — já se rompiam os velhos e malcuidados fios da ternura humana.

Bebemos em silêncio. Dei-lhe um cigarro,

ela fumava, me olhava e ria, e a última fumaça me soprou no rosto.

— Acho que já vou.

Mas não se moveu. Apagou o cigarro e, com a bagana, ficou remexendo na cinza.

— Preciso trabalhar.
— É cedo.

Concordou rapidamente. Levantou-se, passou a mão nos vidros embaciados.

— Hoje é um dia parado, posso ficar até qualquer hora.

Eu nada disse, ela se aproximou com ares que, decerto, julgava sedutores. Ia falar, começou a tossir e logo um acesso a interrompeu de vez.

— Tá feio isso. Não tomaste um xarope?

Já tossia novamente. Em casa nada tinha para dar-lhe, mas na semana anterior eu mesmo estivera com tosse e me arranjara.

— Vou te curar.

Fui ao corredor do edifício, retornando em seguida.

— Que é isso?
— Samambaia. A vizinha tem uma ali na porta.
— Não é veneno?
— Veneno é essa tosse.

Liguei de novo o fogareiro.

— Quem te ensinou que faz bem?
— Uma velha.
— Ah — fez ela.

Deixei o fogareiro aceso, por causa do frio que entrara pela porta.

— Toma, bebe que é bom.

Bebeu o chá com golinhos curtos, ruidosos, reclamando do "gosto horrível". Cruzou a bolsa a tiracolo e veio sentar-se nas minhas pernas. Queria me fazer agrados, me abraçava e me beijava repetidas vezes, a boquinha fria e a ponta do nariz mais ainda.

— Essa não — erguendo-se —, tu é broxa?

Eu disse que sim e ela sacudiu a cabeça, penalizada.

— Doença venérea?

— Não, é de nascença.

Voltou à poltrona.

— Que azar. Então não ganho o meu dinheirinho?

— E de onde eu tiro?

— Não tem nada?

— Estou desempregado.

— Se avisasse eu não subia, não é?

— E o café?

— Ora, o café... Tu é malandro, sabe? Traz a mulher pro quarto e não tem dinheiro. Mas tem o cafezinho, o chazinho...

— Acha que fiz isso?

— Acho.

Apaguei o fogareiro.

— Tá me mandando embora?

— De modo algum. Estou economizando o querosene.

Andou de novo até a janela, espiou a rua.

— Mora muita gente nesse edifício?

— Bastante.

— Imagina se começo a gritar que nem uma louca.

— Não quero nem pensar.

Deu um grito igual ao que dera na rua, e eu, morando ali a título precário, pois estava em curso uma ação de despejo, já antevia as dificuldades que no dia seguinte teria com a síndica, uma velhota que morava dois andares acima e me detestava, sem que nunca lhe tivesse feito mal algum.

— Não tem medo do administrador?

— Tenho.

Desfez-se afinal da bolsa e sentou-se aos meus pés, queixo nos meus joelhos.

— Qualquer coisa, diz que eu faço.

Fiz com que se afastasse e abri a gaveta onde guardava o envelope com o dinheiro da comida.

— Metade pra cada um.

Ela contou.

— Bah, que mixaria — e guardou no bolso do casaquinho. — Mas eu topo. Que quer fazer?

— Nada.

— Como nada?

— Se quer ir embora, pode ir. Se quer dormir aqui, a poltrona se abre e dá uma cama.

— Não quer trepar?
— Não.
— Só porque eu gritei?
— Não.
— Que foi que eu fiz então?
— Nada. Não quero, só isso. Já esqueceu sou broxa de nascença?
— Não quer me chupar? Conheço um velho que só chupa e fica todo satisfeito.
— Todo satisfeito? Como é isso?
— Satisfeito, assim... Mas ele é broxa por causa da idade, teu caso é diferente.
— Claro.
— Vai me chupar?
— Não.
— Credo! Não tem tesão nenhuma?
— Escuta aqui — eu disse —, é tarde e preciso levantar bem cedo.
— Vai procurar emprego?
— Isso mesmo.
— Tá bem, vou embora.
Pegou a bolsa, e eu precisava descer junto para fechar a porta do edifício. No corredor, apoiou-se no meu braço.
— Posso fazer uma pergunta... íntima?
— À vontade.
— Tu é broxa mesmo?
— Cem por cento.

— Não acredito. Pra mim tu é um mentiroso sem-vergonha.

Descíamos a escada no escuro. A velhota do terceiro andar costumava ficar acordada até tarde e com aqueles gritos todos era certo que estivesse de plantão.

— Tu é malandro... Não quer trepar comigo porque sou de menor.

— De menor? No duro? Não tinha reparado.

Ela bruscamente retirou o braço, encostou-se na parede da escada.

— Sou pobre, posso até ser feia e tenho um dente preto, mas nunca ninguém fez pouco caso assim de mim.

Olhava-a sem ver, na escuridão.

— Tá certo que tu me ajudou — e já fungava —, mas depois fica aí me esnobando, como se eu fosse uma aleijada. Eu não subi pra te pedir esmola.

E agora, pensei, que pedirá? Na parede defronte, cansado, me recriminava por tê-la chamado ao apartamento. Como se já não bastassem meus problemas e a falta de alguém a quem, na adversidade, pudesse chamar de amigo, ainda me abalançava a dar abrigo a uma vigaristinha.

Ela ainda chorava quando as luzes do edifício se acenderam e no topo da escada apareceu a síndica. Fitou-nos, abriu a boca num esgar de escândalo e foi-se. A garota me olhou, assustada.

— Que bruxa.

Dei uma risada, ela começou a rir também e quando a porta bateu com força no terceiro andar achamos uma graça imensa.

— Tô perdido — eu disse.

Ela continuava rindo e acrescentei:

— Sem casa, sem dinheiro, com um embrulhinho de açúcar e a metade de um pãozinho...

— Pobre homem... Meio pãozinho?

— E um naco de marmelada.

— Que horror.

A luz da escada se apagou. Ela parou de rir e no escuro procurou minha mão, pondo-a entre as pernas.

— Ai, tô tão excitada.

— Vamos subir.

— Não, aqui.

Encostada na parede, com um pé no degrau de cima, ela se pendurou no meu pescoço. Tinha um jeito estranho de amar. Um pouco ria, outro chorava, eu não sabia se aquilo era verdade e não me animava a afirmar que fingia.

Depois, na calçada, me fez um carinho na orelha e me deu um beijo estalado.

— Não quer dormir na poltrona?

— Não, ainda vou trabalhar.

Disse também tiau, a gente se encontra, e atravessou a rua, puxando o casaquinho sobre a cabeça.

Subi. Eram quase duas horas, talvez mais. Estendi o cobertor e ao deitar ouvi a garota chamar lá fora:

— Tu aí em cima!

Cheguei à janela. As luzes da rua dessoravam na névoa, formando redutos luminosos que não se comunicavam. No mesmo lugar em que a vira pela primeira vez, ela me acenava. Levantei o vidro.

— Tu de novo, dente preto?

— Quer que eu volte amanhã?

— Não, não quero — e fiz um sinal para que não falasse tão alto.

— Mas eu volto — baixando a voz. — Na mesma hora, tá? Vou trazer açúcar, pó de café, bolinho de polvilho, tenho uma porção de coisas no meu quarto.

— Não precisa trazer nada.

— Precisa sim. E se a bruxa velha te botar na rua, tu pode ficar lá comigo o tempo que quiser.

Ventava um pouco, pequenas rajadas vinham dar na minha janela, com respingos de garoa.

— Te amo — eu disse.

Ela bateu com o pezinho no chão.

— Tô falando sério!

— Eu também — eu disse.

No Tempo do Trio Los Panchos

Com o negócio formalizado, prazos de parte a parte estipulados, escasseavam os pretextos e mesmo assim, naquele dia chuvoso, ele voltou à ruazinha suburbana. Passou em frente da casa e andou até a esquina, sem se importar com a chuva fina que não cessava. E fez mais uma passada e parou diante da casa. O que ia dizer? Que ia tirar a medida das cortinas?

Espirrou, tornou a espirrar, molhado, e os pingos agora eram mais grossos, pesados. Abriu o portão do jardim, entrou, ouvindo o tilintar do algeroz ao redor da chaminé, a água rolando nas calhas e descendo pelos condutores. Subiu os três degraus do alpendre e deteve-se no último. Ia dizer uma bobagem, claro, não havia motivo sério que pudesse justificar tantas visitas.

Queria rever algumas coisas, disse, desculpasse o incômodo, não ia demorar e ela o fitou, indecisa, a voz difícil: Miguel viajara, só voltava no domingo à noite.

— Eu sei, mas não queria esperar. Não gostaria.

Ela o fitava ainda, olhos muito abertos, o senhor está encharcado e então pediu que entrasse, por favor sentasse e mandou a criada pendurar a gabardina no vestíbulo. Cruzou as pernas no sofá defronte e o que, exatamente, ele desejava ver de novo? No joelho dela havia uma pequena arranhadura. Ver de novo? Ah, sim, o pé-direito do quarto, a janela do banheiro.

— Não se importa de esperar um pouquinho?

O sorriso era incerto, vago. Porque a criada estava arrumando, um minutinho só, não, não tem importância, espero, e olhava as pernas dela, via os pontinhos dos pelos recém-raspados e detinha-se nos pés, os dedinhos finos e compridos despontando das sandálias. Ela descruzou as pernas, reuniu os joelhos, não aceitava um cafezinho? Está esfriando e ainda essa chuva...

Sim, a chuva, ele pensou, vendo-a levantar-se, e notou que num canto da sala havia um balde, e acima, no forro de lambris, uma goteira. Já observara que a cumeeira estava em mau estado e que, assim como o telhado, outras e muitas coisas necessitavam de reparos.

Era uma casinha comum, antiga. Via-se da rua, no telhado, a fosca claraboia, a chaminé de guarda-vento, e na empena uma trapeira de arejar o sótão. Tinha um embasamento de pedras nas paredes, correndo abaixo das janelas, e nestas o arco de cantaria com fecho e saimel. Alcançava-se a porta pelo alpendre com degraus e atrás dela o vestíbulo, a sala, dois quartos e poucas dependências mais, todas pequeninas. Não era a casa que procurava e no entanto retornara muitas vezes para olhar, marcara encontros, discutira preço, condições...

A chuva continuava. Nas vidraças, as gotas abriam translúcidos caminhos que se interrompiam na aspereza dos caixilhos. Ele olhava ao redor, via a cristaleira e sobre ela, na parede, o relógio-cuco, via um retrato amarelo no consolo da lareira, via uma estante com o Tesouro da Juventude e o Lello Universal, matérias antigas como a casa e, afinal, como os sentimentos que pareciam ressuscitar em seu coração.

Ela trouxe o café numa bandeja de azulejos, colocando-a na mesinha de centro. Enquanto ele se servia, abriu a cristaleira, pegou um maço de recortes de jornal. Por mim eu ficava nesta casa, gosto dela, do lugar, da rua.

— Estamos procurando outra maior — complementou, mostrando os anúncios.

Sentou-se novamente, tentando um sorriso que parecia sorrir para alguém ao lado dele, ou mais atrás, e ele notou que outra vez juntava os joelhos, tensa, preocupada. Não, não era essa a atmosfera que sonhara, não era nada disso. E agora a sensação de que ia espirrar, e não espirrava, só um frêmito e então agarrou os cotovelos com os braços cruzados, tinha frio.

— O senhor vai se resfriar — ela disse.

— E você insiste em me chamar de senhor — conseguiu dizer, num arranco.

Ela ruborizou, pôs-se a ler ou a fingir que lia os recortes presos por um clipe, as longas pestanas semicerradas, o peito subindo e descendo, as narinas se abrindo de leve. Entardecia. Nalgum lugar da casa uma porta bateu. Ouviu depois um bater de asas, talvez um pombo que vinha se abrigar no fuste da chaminé, ou seria que, do fuste, partia esse pombo em busca de outro abrigo. Estariam sozinhos? Ah, se pudesse entardecer ali com ela, a roda do tempo girando para trás ou mesmo parando, emperrada pela umidade daquele dia chuvoso, e ver esse dia morrer nos vidros embaciados, e ouvir a chuva no algeroz e tomar café com sonhos e jogar uma canastra até dois mil, que bom seria o amor num dia assim, tão especial, e o serão depois e os corpos lassos, a lareira consumindo cheirosos nós de pinho e longas achas de acácia, a claridade rubra das móveis labaredas e mais o vinho tinto e um velho bolero do Trio Los Panchos, o batom, não, batom não, por que o batom?

Viu novamente o retrato na lareira e levantou-se, tomou-o.

— Miguel?

Ela não respondeu, mas devia ser Miguel, o jovem Miguel, no tempo em que, como Miguel, ele também era jovem e amava perdidamente uma mulher, e havia chaminés de guarda-vento, arcos de cantaria, trapeiras, cucos, claraboias, e havia boleros e um tesouro, a juventude, e o mundo não ia além do que sabiam, no Porto, o vetusto Lello e seu irmão — era como se fosse noutro século! —, um tempo que estava morto e que podia ressuscitar, claro, que ressuscitava, mas como um detrito à deriva no rio de Heráclito, singrando a cada instante novas águas, novos rumos, outras profundidades e com diferentes gradações de vento. Ressuscitava sim, mas para morrer e continuar morrendo em cada ressurreição.

— Pode me chamar como quiser, não faz diferença — disse. — A não ser que... qualquer dia...

Ela meneou a cabeça, lentamente.

— Está bem — tornou ele, pondo o retrato no lugar. — Vou embora.

Ela ergueu-se também. Trouxe a gabardina, levou-o até a porta, estendeu a mão. Ele a tomou e num impulso que a si mesmo surpreendeu, que era seu e ao mesmo tempo parecia ser de outro, ou de muitos outros, de todos os homens que, como ele, tinham amado no tempo do Trio Los Panchos, puxou-a com força e a beijou na boca. Ela ficou parada no alpendre, vendo-o descer os três degraus, abrir o portão, erguer a gola do capote para proteger-se da chuva fria. Mas quando ele parou adiante e olhou para trás, ela não estava mais ali.

Conto do Inverno

Tarde da noite, o escritor foi despertado por ruídos incomuns à frente da pequena casa onde morava só. Da janela, viu um velho caminhão estacionado junto ao poste de luz, era dali que vinham batidas de porta, conversas e ele ouviu também o choro de um bebê. O capô estava erguido e dois homens examinavam o motor com uma lanterna. Vestiu uma japona e foi até o alpendre perguntar o que havia.

— Queimou a bobina — disse um dos homens.

O escritor pulou a pequena grade que separava o jardim da rua. Ao aproximar-se, notou que o outro, o que segurava a lanterna, era um menino.

— Se é bobina não tem jeito.

— Pois é, vamos passar a noite aqui.

— De onde vocês vêm?

— Santa Rosa.

— Mudança? — quis saber o escritor, examinando a paupérrima mobília amontoada na carroceria.

O homem o olhou com pouca simpatia.

— Dá pra ver, não é? E essa merda vem pifar logo agora, na chegada.

— Sorte sua. Na estrada seria pior.

O homem tornou a fitá-lo, mas não disse nada, e começou a colocar no lugar os cabos de velas que estivera a testar. O escritor olhava para a carga e via entre os móveis um lençol, que se mantinha esticado pelas pontas presas.

— Tem gente aí?

— A dona da mudança. Por que?

— Ouvi um chorinho.

— Ah, ouviu um chorinho? Nós também ouvimos.

— Bah, nesse frio...

— Qual é o problema? — e fechou o capô com um estrondo que fez estremecer a cabina.

— Se vão passar a noite no caminhão, o senhor e seu ajudante podiam trocar de lugar com ela.

O homem limpava as mãos com um pano sujo e, ao responder, olhava para o menino:

— Não acredito. O caminhão é meu e ele quer que eu durma na carroceria.

— O guri, quem sabe...

— Ele é meu filho!

Entrou na cabina, batendo a porta. Esperou que o menino subisse pelo outro lado e abriu uma fresta do vidro.

— O senhor pode conseguir uma bobina

nessa hora da noite? Não, não pode. Então não fique aí enchendo o saco.

"Ele vai dormir", pensou o escritor, "como consegue?" De volta ao quarto, tirou a japona e deitou-se. Ainda que se cobrisse com dois cobertores, tiritava de frio. Pôde cochilar, decerto, ou só chegou, talvez, àquela consciência difusa que é o umbral do sono, mas estremeceu e sentou-se na cama ao ouvir novamente o choro do bebê.

Levantou-se, protegeu-se com o mesmo agasalho. Antes de sair, pegou na parede da sala uma espada enferrujada que adquirira num belchior, supostamente arrebatada de um oficial paraguaio na guerra contra López.

Pulou outra vez a grade do jardim e bateu com a espada na carroceria do caminhão. Não via ninguém, só os móveis e a alvura da barraca improvisada.

— Como está o bebê? — perguntou, alto.

Uma sombra moveu-se sob o lençol e a lâmpada do poste revelou o rosto ainda jovem de uma mulher, que se aproximou de joelhos.

— O cara de novo — era a voz do menino, na cabina.

— Puta que o pariu — era a voz do homem.

— Como está o bebê? — ele insistiu.

— Com febre, mas é pouca — disse a mulher.

— A senhora não pode dormir ao relento com uma criança que tem febre. Para onde vai sua mudança?

Antes que ela respondesse, o dono do caminhão saltou da cabina. No mesmo instante, viu a espada. Deteve-se, hesitante, por fim resmungou:

— Olhe aqui, amigo, fiz uma viagem de quatorze horas, estou no bagaço. Se não leva a mal...

— Eu levo a mal.

O homem abriu os braços e retornou à cabina, fechando a porta com novo estrondo. "O cara é louco", disse ao menino. O escritor tocou na mão da mulher, ainda ajoelhada à guarda da carroceria.

— Combine com ele a entrega da mudança, e enquanto isso tiro o carro da garagem. Vou levar a senhora, está bem?

— Está — disse ela. — Muito obrigada.

Entrou em casa num passo de general, com sua falsa espada paraguaia. Minutos depois estava de volta, com o carro. A mulher o esperava na calçada, com o bebê enrolado numa manta. Trazia também uma sacola.

— Onde vamos? — perguntou o escritor, ao dar a partida.

— Não é longe — e indicou um morro a poucos quilômetros dali.

— Esse morro é um labirinto de ruelas. A senhora conhece bem?

— Mais ou menos. Meu marido comprou uma casinha lá. É perto de onde mora minha cunhada.

— Por que seu marido não veio?

— Ele veio antes, eu fiquei pra trazer a mudança.

O bebê estava inquieto. A mulher procurou algo na sacola e não encontrou.

— Quer que acenda a luz?

E o fez. Ela ergueu a sacola para ver melhor e ele sentiu o cheiro de suas axilas. O bebê recusou a chupeta e continuou a protestar.

— É garganta?

— Tá gripadinho, não é nada. Acho que esse choro é de fome. O senhor tem horas?

— Três e meia.

— Passou da hora dele.

Viu a mulher despir e oferecer à criança um formoso seio, e constatou que uma ponta de desejo se insinuava no desprendimento do general paraguaio. Mas não apagou a luz. Na última sinaleira antes do acesso ao morro, olhou novamente, dizendo-se que o fazia para conferir se o seio realmente era bem-feito. Era.

— Bonito o seu seio.

— Obrigada.

"Canalha", disse consigo, "tentando aproveitar-se da situação". E apagou a luz.

No morro, levou algum tempo para achar a rua. Grande parte daquelas encostas já era favela, outro tanto puro mato, atravessado por ruas estreitas e esburacadas, flanqueadas de valetas enormes por onde corriam as águas que vinham do topo. Num desses aclives, a mulher avisou:

— É aqui.

— Aqui onde? — perguntou o escritor, que só via o arvoredo ao redor.

— Nessa subida.

Olhou morro acima e os fachos de luz do automóvel davam-lhe a impressão ilusória de que estava à beira de um abismo. Havia mais buracos e pedras atravessadas no caminho.

— Não sei se consigo subir.

— Não precisa, é perto.

Tornou a ligar a luz interna. O bebê estava enrolado, com o rosto coberto, mas o seio da mulher continuava exposto, com seu mamilo arroxeado e úmido. O escritor percebeu que ela estava fazendo aquilo por gosto.

— Vista-se, está muito frio.

Num gesto que lhe pareceu quase infantil, ela fez que não com a cabeça. Por momentos, o escritor permaneceu imóvel, mãos ao volante, como a esquadrinhar o falso abismo da ladeira. Depois voltou-se, passou a mão nos cabelos dela, no pescoço, no colo. Depois ainda, inclinando-se, tomou o seio, ergueu-o delicadamente e o beijou. Mas logo se afastou. Desembarcou, contornou o carro e abriu a outra porta.

— Obrigada — disse ela, descendo, e antes de ir-se ofereceu-lhe a mão. — O senhor é um homem bom.

Tinha certeza de que aquela noite gelada poderia terminar com outra temperatura, mas assim estava melhor, era uma atitude mais elegante, mais nobre, de acordo, afinal, com o tempo em que os homens usavam espadas para defender suas damas. "Boa história", pensou, contente, enquanto manobrava para retornar e via a mulher subindo laboriosamente a rampa. Meu *winter's tale*, disse em voz alta. E logo um pensamento desagradável: talvez tivesse desconfiado, desde o início, de que aquilo era um conto. Nesse caso, era quase certo que estivera a representar. Era espantoso como os escritores, às vezes, podiam ser interesseiros, e no fundo, bem no fundo, tão ou mais cruéis do que um dono de caminhão como o que conhecera naquela madrugada.

— Que coisa — murmurou.

Embora menos alegre, compreendeu que tinha encontrado também o fim da história.

Dançar Tango em Porto Alegre

Carregava pouca roupa na valise. Duas camisas, uma calça grossa, meias e cuecas que me envergonhavam quando precisava pendurá-las para secar. Era, enfim, a roupa que eu tinha, mais a do corpo e o casaco listrado que trazia nos ombros, prevenindo o frio da madrugada. Um casaco antigo, resistente, comprara-o em certa ocasião para procurar emprego em Porto Alegre. Ele durava, mas os empregos... As pessoas costumavam me demitir como contristadas: "O senhor trabalha devagar e é muito distraído" ou "O senhor se esquece demais de suas obrigações". Era engraçado que, depois de tantos anos, estivesse retornando à capital para tentar novo emprego e vestisse o mesmíssimo casaco. Mudava o mundo, minha roupa não.

Quase duas horas e o trem atravessava a noite escura, uma viagem sem fim, Uruguaiana a Porto Alegre era como a volta ao mundo. Noite úmida, fria, o vidro da janela se embaciava e eu me distraía imaginando como seria, numa noite assim, ver do campo o trem passar. Devia causar algum assombro a cobra de ferro, luminosa, vomitando na treva o seu clamor de bielas rugidoras.

Tinha vontade de erguer o vidro, espiar o tênder e a locomotiva numa curva da estrada, lembrança do tempo em que, menino, me debruçava no perigo para fruir a pressão do vento e investigar o trajeto das fagulhas. Mas não convinha. Havia crianças no vagão, pessoas idosas, e eu também não era jovem.

Me aborrecia com aquela ideia, os achaques de um homem maduro, quando a passageira ao lado advertiu:

— O senhor vai acabar queimando meu vestido.

Movi tão depressa o braço que o cigarro me escapou da mão e, infortunadamente, foi cair em seu regaço. Na tentativa de salvar-lhe a roupa meu desempenho não foi melhor.

— Quer ter a bondade de tirar as mãos?

Passageiros mais próximos nos olharam e um deles sacudiu a cabeça, decerto pensando que eu tinha desacatado a moça.

Distante daqueles problemas pequeninos, o maquinista tocava seu trem. Meia hora até Santa Maria, no corredor um funcionário recolhia os bilhetes dos que iam descer. Observei minha companheira. Ela embarcara em Cacequi e desde lá quase não se movera. Agora estava outra vez imóvel, olhar perdido no vazio. Sua aparente melancolia estimulava minhas veleidades de bom samaritano, mas me continha, evitando dirigir-lhe a palavra. Tristeza por tristeza já bastavam as minhas de homem só.

E foi ela, afinal, quem recomeçou.

— Eu sei que o senhor não fez por mal.

— Oh, não se preocupe.

Mas ela se preocupava, insistia em desculpar-se. O vagão sacolejava, de vez em quando lhe caía nos olhos uma mecha de cabelo, que afastava com alguma negligência. Era uma jovem senhora de modos esquisitos. Tão quieta, longínqua, e no entanto, ao falar, parecia conter-se. Gesticulava lentamente, como sem vontade, mas um gesto perdido não raro se completava com um movimento brusco, imprevisto, deixando o interlocutor hesitante entre pensá-la nervosa ou apenas absorta. Magra, um pouco mais do que deveria, mas se quisesse seria bem bonita, era só despertar, dando mais vida àqueles olhos de um castanho profundo.

Com um apito prolongado e o repique da sineta o trem se anunciou à estação de Santa Maria. Luzes, homens andando apressados pela gare, já freava o trem e crescia na plataforma o burburinho, multidões que fluíam e refluíam como sem destino, e no meio delas, como mortos em pé, como estátuas de exaustiva eternidade, aquelas indefectíveis criaturas paradas, olhando o trem, que sempre me intrigavam. Me perguntava se estariam partindo ou esperando alguém, talvez chegando, talvez admirando o trem, eu as contemplava e me perguntava que sonhos, angústias, tormentos, não se ocultavam naqueles corações imperscrutáveis.

Alheia ao movimento, às misteriosas questões da vida e da morte suscitadas pelas estações, minha companheira nem ao menos olhava para fora.

— Acho que vou descer um pouco — disse-lhe.

Afastou as pernas, notei-lhe os joelhos redondos, as pernas bem-torneadas.

— Quer que lhe traga alguma coisa? Uma revista?

Me olhou, era a primeira vez que o fazia mais longamente. Disse que ia sair também e descemos juntos.

Estação de Santa Maria, encruzilhada de trens, de antigas baldeações para as cidades da serra, da campanha, com seu cheiro de carvão e de fumaça, comida quente, ferro e pedregulho, e os vendedores de confeitos e maçãs argentinas, e os revisteiros oferecendo exemplares de *O Cruzeiro*, *A Cigarra*, *Grande Hotel*, e os bilheteiros de loteria anunciando o 13, o 17, o 44, com uma pressa cheia de ansiedade... Estação de Santa Maria, festa urgente, provisória, quase trágica, era em Santa Maria que as locomotivas prendiam ou desprendiam seus engates, que os vagões se separavam, que as composições partiam nas sombras da noite com suspiros de fumo e soluços de bielas, era em Santa Maria que pessoas vindas de longe se encontravam, também ali se separavam, ou que se viam pela primeira vez e nunca mais. Estação de Santa Maria, encruzilhada de trens, ah, quisera eu que em Santa Maria pudesse encontrar alguém que também estivesse à procura de alguém, e se a ninguém me fosse dado encontrar, que ao menos me encontrasse a mim mesmo, perdido que andava na pradaria sem carril da minha alma atormentada.

Levei-a ao restaurante da estação, onde nos serviram café quente e sanduíches. Fiz algumas observações a respeito do frio, da geada, do mau estado dos trens, ela me ouvia sem atenção, apenas assentindo ou murmurando qualquer coisa inexpressiva. No outro lado do salão, encarapitado numa escada bamba, um garçom colava esparadrapo nas frestas das janelas.

— Aposto que ele vai escorregar.

Mas o homem se equilibrava e ela logo se desinteressou. Que chato, eu pensava, me sentindo um estranho no umbral de seu mundo ensimesmado. Ah, e não era novidade eu notar que alguém não apreciava minha companhia. Eu também era um pouco "difícil". Gostava das pessoas, mas para que me aproximasse delas, me expusesse e as aceitasse lisamente, era preciso que de algum modo tivesse de ajudá-las. Quando não era o caso, ou não tinha ocasião de fazê-lo, me surpreendia como sem função, não sabia do que falar e me tornava superficial, cerimonioso.

Disse-lhe que ia voltar para o vagão.

— Espere — disse ela, como despertando.
Fitava-me, inquieta, tocou na minha mão.

— Estou pedindo para o senhor ficar e nem sei se o senhor, se tu... simpatizaste comigo.

— Eu? — murmurei, atônito.

— Ainda não simpatizo contigo, mas... não deve ser difícil, é só a gente conversar um pouco.

O tom era incerto, dúbio, estaria brincando? Tropeçando nas palavras, disse-lhe que aquilo de simpatizar ou não, realmente, era algo importante, mas que me confundia tratar do assunto com tamanha objetividade.

— São as circunstâncias...

— Que circunstâncias?

— Ah, não me pergunta isso agora.

Acendi um cigarro e logo o apaguei, para que não me visse a mão trêmula.

— Como é teu nome?

— Jane.

— Em princípio simpatizo contigo e... não, desculpa, não era isso que eu queria dizer.

Ela sorriu.

— A gente viaja no mesmo trem, é uma viagem tão longa, cansativa, não é preciso dizer muita coisa.

Seus olhos postos nos meus, não, não era preciso dizer mais nada e no entanto eu me assombrava. Quis tomar-lhe a mão, ela a recolheu.

— Aqui não.

Quando retornávamos, pediu:

— Fala com o Chefe de Trem, sempre há cabinas desocupadas.

Talvez se tratasse de uma mulher que, em viagem, desejava divertir-se, mas a questão era justamente essa: não dava a impressão de que o divertimento fosse o seu objetivo. Que pretendia de mim? Que circunstâncias eram aquelas que mencionara com uma ponta de impaciência? Eu estava com medo. Ter medo do desconhecido era outra marca da minha idade madura e eu costumava me demorar em sondagens e meditações antes de me decidir por qualquer coisa.

Procurei o Chefe de Trem, por certo, mas longe de me regozijar com a promessa de uma noite de prazer, inquietava-me a sensação do passo no escuro.

No compartimento havia dois beliches e a pia com um espelho. Coloquei nossas maletas sob a cama e, a seu pedido, baixei a cortina da janela. Ela experimentou a torneira.

— Não tem água.
— Nunca tem.

Mas a luz de cabeceira funcionava.

— Essa acendeu.
— Menos mal.

Ia verificar a outra, junto ao espelho, ela me tomou da mão e a sua estava úmida.

— Me ajuda — murmurou.

Ajudá-la? Em que sentido? O trem punha-se em movimento e me deixei ficar com ela em pé, contra a parede, querendo que sentisse que podia desejá-la.

— Vem.

Sentou comigo, e quando a abracei novamente deixou escapar um soluço. Ocultou o rosto nas mãos e, que surpresa, chorava.

— Que houve? Fiz alguma coisa errada?

Olhava-a, pensando que a situação era nova. Da enigmática companheira de banco não restava um vestígio e em seu lugar havia uma mulher com problemas que, pelo visto, em breve me contaria. De algum modo me sentia mais à vontade.

— Que espécie de ajuda esperas de mim?

Enxugou as lágrimas com o dorso da mão, pediu um cigarro.

— Se preferes — tornei —, podemos voltar para o vagão.

— Não, não quero.

O trem diminuiu a marcha, parecia que ia parar. Dois apitos e reacelerou. Por baixo de nós, o bater das rodas nas emendas dos trilhos. Recém deixáramos Santa Maria, eram quatro horas, havia muito chão pela frente, muita escuridão antes que o primeiro albor viesse clarear nossa janela.

Acariciei suas mãos entre as minhas, com remorso por ter estado a receá-la. Era como se me inquietasse com estalidos da folhagem, e espiando, desse com uma pobre coelhinha assustada. E depois, quando começou a falar, positivamente, suas dificuldades não eram pequenas. Questões de vida e de morte, era natural que não as intuísse ao redor de si, pois já as trazia dentro do peito. O marido enfermo em Porto Alegre, suas entranhas mastigadas num processo irreversível, havia semana que o visitara, encontrando-o tão consumido que dava menos pena do que horror. Sempre o amara muito, mas agora não sabia o que sentia. Sentia, sim, um aperto no coração, e estava desesperada.

— É uma tortura a gente saber que vai perder alguém, ter essa certeza. Podes me ajudar — e me beijou no rosto, um beijo sôfrego e molhado. — Quero esquecer meu marido, a doença, meu filho, o dinheiro, tudo. Quero uma noite diferente.

Fazia muito frio e a janela da cabina deixava entrar um fio de vento.

— Está bem — eu disse —, vamos tentar.

Outra vez o trem diminuiu a marcha, apitou, mas não reacelerou. Foi parando devagar, as rodas ringindo no ferro e os vagões tironeando, deu mais um apito e, finalmente, imobilizou-se.

Deitados lado a lado, quietos, nós esperávamos, decerto, pelo movimento do trem, e quando ele deu novo sinal e aquele solavanco de partida, foi uma surpresa: recuava. Mas parou em seguida e lá na frente a máquina foi desligada.

Fez-se um silêncio súbito, povoado de pequenos ruídos. Algumas vozes chegavam até nós, de longe, e mais audíveis os rumores do carro-restaurante. Um grilo tenaz do lado de fora e uma sombra passou por ali, carregando uma lanterna.

— Que aconteceu?

Afastei a cortina. À frente, à esquerda da linha, lucarnas de uma moradia desfiavam débeis fímbrias de luz na escuridão. E luzes ainda, adiante, sobre os trilhos: dois, três candeeiros, homens abaixados inspecionavam os dormentes.

— Consertam a linha.

Por algum tempo acompanhei a movimentação dos homens, mas é certo que não os via, ah, que hora para me assaltarem as recordações. Do poço da memória resgatava velhos e usados encantamentos, um passado remoto que continuava vivo. Uma roda de tílburi, pedaços de uma ária esquecida, uns olhos castanhos, um seio pequenino na concha da mão, fragmentos fugazes como o canto do grilo ao pé do trem, aquilo teria realmente existido ou eram fantasias consagradas pela solidão?

Começamos devagar, desajeitados, não é fácil de se amar quando o amor é eleito para remediar. Pouco a pouco nossos beijos foram tomando gosto. E a pressão macia do seu corpo no meu, e o regaço movediço procurando meu sexo, parecia outra fantasia, mas não, aquela mulher que queria ser possuída era algo bem atual e bem concreto. Desejava-a, por certo, mas ao meu desejo, para quebrantá-lo, aderia uma mistura de bondade e susto, impulsos contraditórios que me estimulavam mais a aconchegá-la, a niná-la, do que a enterrar-lhe um músculo às entranhas. Eu fracassava e Jane percebeu. Sentou-se e me olhou, entre curiosa e aborrecida. Sem demora me desabotoou, pôs-se a examinar meu sexo à luz mortiça do beliche. Acariciava-o com gestos delicados, minuciosos, fixada de tal modo numa pele dobrada ou num feixe de vasos que me sentia como um terceiro e um intruso naquele colóquio de sensual introspecção. Minha sexualidade, porém, só se libertou com um pensamento pulha: se não a satisfizesse, procuraria outro que o faria sem nenhum pudor, talvez o Chefe de Trem, que andava batendo às portas, talvez o camareiro do carro-leito, que a olhara com um ricto obsceno. E imaginei aqueles homens sobre ela, penetrando-a com gana, e aquela Jane, que a mim se oferecia tão sofredora, a suspirar de prazer tendo entre as pernas um fauno estúpido. E já me instigava outra imagem perturbadora: sua boca de lábios grossos tão próxima do membro em crescimento e meio deformado, quase brutal à sua face algo tristonha.

Movia-se de novo o trem e então ela começou a me masturbar, vagarosa e compassadamente, e enquanto o fazia usou a língua, de início com timidez, como tateando, mas também se comprazia e logo me masturbava com maior vigor, tornando mais demoradas as lambidas.

— Não te conheço, não sei quem és — murmurou, e parecia que falava consigo mesma —, e no entanto estou te acariciando, te lambendo, querendo te chupar...

E no meu primeiro arquejo, naquela queda livre que é a aproximação do orgasmo, só então me abocanhou, me sugou, e estremeceu ao receber a golfada do meu gozo.

Foi preciso que me sentasse, depois de largo tempo, foi preciso que lhe empurrasse suavemente o rosto para que abandonasse meu sexo dolorido e murcho. Tinha engolido o esperma e parecia dormitar, a cabeça pousada em meu regaço, os lábios entreabertos e num lambuzo só, atravessados de cabelos.

— Jane.
— Não fala.

Afaguei-lhe o rosto, uma ternura misteriosa me unia àquela mulher.

— Às vezes penso que minha vida é um sonho — disse ela —, e que nada disso que acontece é verdade. Não sei explicar direito, parece que quem está aqui no trem, fazendo isso contigo, não sou eu mesma, é outra pessoa, outra Jane, e a verdadeira fica de fora, apenas assistindo.

Nada comentei, ela me olhou.

— Não quer ouvir?

— Quero sim, continua.

Mas não continuou. Abraçou minha coxa, encolheu-se, tentava acomodar-se na cama estreita.

— Quer um cigarro?

— Não.

— Acho que vou fumar um pouco.

— Não, agora não, por favor.

O trem andando, balançando, o ruído das rodas nos trilhos e o calor dos nossos corpos, um cansaço de animal saciado, era bom, era uma entrega, era o portal do sono. Mas o sonho foi um pesadelo. Havia uma grande cratera num monte, na qual se formava uma bolha visguenta. Eu do lado de fora, assistindo seu desmesurado crescimento, e outro *eu* também lá estava, do lado de dentro, envolvido pela bolha. Quando ela explodiu, espargindo coágulos de sangue e num derrame de trastes malcheirosos, aquele eu encurralado voltou a mergulhar nos abismos da cratera, até retornar à superfície noutra bolha. Vem, eu gritava e dava-lhe a mão, ele se encolhia, receoso, e escolhia permanecer em sua morada estranha.

Quando despertei, Jane se despia e me despi também. Voltara-se para a parede e eu olhava seu corpo nu, alvíssimo e bem-feito, as pernas roliças, as nádegas firmes e arrebitadas, a cintura fina, as costas lisas com um pequeno sinal no ombro, de onde pendia um cabelo solitário.

— Estou com frio.

Beijei-a na nuca, nas costas, apalpei-lhe as nádegas muito juntas. Ao contato da minha mão ela relaxou, expondo-se. Vendo-a assim, de bruços, pernas entreabertas e se oferecendo, um desejo selvagem se apossou de mim. Nem pensar em me comover com seu desespero, ela estava me pondo maluco com aquele propósito de dar-se em nome de um sofrimento. Comecei a penetrá-la. Gemeu, mas ainda assim tentava me ajudar, esgarçando-se. Como se quisesse sofrer mais. Tal dose de prazer, tal dose de castigo, uma justiça insana que eu fingia ignorar. Suas nádegas nas minhas virilhas, o calor e a pressão de seu reto, um novo orgasmo estava vindo e foi então que uma parte minha se rebelou. Não, disse comigo, não serei o seu algoz.

— Te vira — pedi.

— Não, não quero.

Recuei, saí de dentro dela.

— Te vira — insisti, agarrando-a pelos ombros.

Tentou livrar-se das minhas mãos, choramingou.

— Não, por favor, estás me machucando.

Era surpreendente a energia que empregava para libertar-se e era quase uma insensatez, mas como pedir coerência a uma mulher em fuga, debatendo-se entre desejo e culpa? Com uma violência de que não me sabia capaz, e certamente machucando-a um pouco, fiz com que se voltasse e abrisse as pernas e me recebesse de frente. Um protesto desesperado eu calei com um desespero de beijos e ela, vencida, me abraçou. E se tornou macia, cada parte do seu corpo se ajustava numa parte minha e seus movimentos vinham completar os meus. E era outra mulher, doce e faminta, e me dava beijos e me segredava o que sentia e pedia mais depressa e queria morrer e depois suspiros e depois um grito, logo outro grito e palavras loucas que eu nunca ouvira de mulher, beijos como nunca me haviam beijado e estertores que principiavam com gemidos e iam terminando aos poucos, entre contrações de vagina e jatos de esperma, num estuário de muco e de saliva.

Não, nunca tinha sido tão bom, e o que se seguiu, não sei, talvez no momento não tivesse compreendido, era uma sensação esquisita, minúscula a princípio, esgueirando-se em mim como através dos poros, depois se avolumando, se espalhando, um certo contentamento, uma certa felicidade, uma vontade muito grande de gostar, gostar de tudo, e eram outros olhos com que olhava ao meu redor, vendo a pia, a lâmpada do beliche, o casaco pendurado, ai, meu casaco, meu xergão velho, companheiro de tantas noites, madrugadas, um junto do outro no sofá da casa, fazendo sala para Miss Solidão...

Como estávamos, ficamos. Já clareava o dia quando despertei, cansado, moído. Jane estava à janela, olhando os campos branquicentos de geada.

— Que horas são?

— Passa das seis.

— Ainda temos duas horas.

Ela me olhou rapidamente.

— E de manhã — tornei —, vais embora, simplesmente...

Me olhou de novo. Disse-lhe então que agora podia responder com segurança àquela pergunta que me fizera em Santa Maria, se simpatizava ou não com ela. Pois simpatizava muito. E disse-lhe mais: que algo importante havia acontecido em mim. Que eu era um homem soturno, mergulhado em lembranças juvenis e de mal com a vida, nem amigos conseguia fazer, mas que algo acontecera, podia até jurar. E queria muito vê-la em Porto Alegre, talvez não em seguida, mas mais tarde, ou quando quisesses.

— Como te esqueces das coisas...

— Não é verdade — protestei, argumentando que, a despeito do que a levara a me procurar, podíamos começar de novo em terra firme e era isso que eu queria.

Olhos baixos, parecia tão triste que me constrangia, mas eu não pensava em desistir.

— Te dou meu endereço.

Levantou-se, ligou a lâmpada do espelho. Passava a escova no cabelo, como sem vontade.

Nenhuma pintura no rosto, nenhum artifício, e como era bela na indecisa luz que vinha um pouco da lâmpada, um pouco da suave claridade do amanhecer.

— Jane.

— Vou ao restaurante. Queres que te traga uma torrada?

Ia abrir a porta, voltou-se.

— Foi uma noite e tanto, tipo letra de tango.

— Gostas de tango? A gente podia se encontrar em Porto Alegre e...

— Por favor.

— Sei que seria uma loucura, mas...

— É uma loucura.

— Espera, não vai.

Levantei-me também.

— Conheço uma casa em Porto Alegre onde se dança tango, é um lugar bonito, muito romântico.

— Dançar tango em Porto Alegre, que ideia.

Abriu a porta.

— Olha, queria que soubesses que não me senti usado.

E abracei-a, um impulso me fazia apertá-la, protegê-la de algo que não sabia o que era, mas, desconfiava, podia roubá-la de mim.

— Escuta, não vai, fica comigo.

Sua resposta foi um beijo demorado, quase amoroso. Livrou-se do abraço e saiu.

Deitei-me. Queria pensar, apelar à minha razão, e não conseguia. Uma mulher desconhecida, uma viagem de trem, um leito, uma noite de prazer e ali estava eu feito um garoto de colégio, repentinamente apaixonado. E não podia conceber o dia seguinte sem aquela mulher que, com suas maluquices, dera um sopro de vida aos meus dias sem sabor de velho precoce. Não podia conceber que, no dia seguinte, fosse fazer as mesmas coisas que fizera até então. Disparate? Mas eu me perguntava se de fato não havia sentido, ou se não era mais humano, natural, que a vida acontecesse assim mesmo, loucamente. Sim, precisava pensar, ou por outra, por que pensar? Por que não me entregar à aventura de amar a quem me fazia tanto bem?

O trem deu uma parada brusca e rolei na cama, dando com as ancas na parede da pia. Ouvi gritos no corredor, outros mais distantes, som de vidros quebrados e objetos caindo e rolando no chão.

— Merda — gritou alguém à minha porta.

Tive um pressentimento atroz. Vesti-me às pressas e deixei a cabina, abrindo caminho entre as pessoas que se acotovelavam no corredor. Perguntava, ninguém sabia o que tinha acontecido. Fui adiante, percorri dois vagões de passageiros inquietos e curiosos, ao retornar notei que alguns homens se aglomeravam do lado de fora. Entre eles, o Chefe de Trem. Desci. O funcionário gesticulava com os passageiros.

— Voltem aos seus lugares. Todos para o trem, vamos subir.

— Que aconteceu? — perguntei.

— Um acidente. Agora voltem todos, por favor.

— Que tipo de acidente?

—Ora, senhor, retorne ao seu lugar, não insista.

— Que tipo de acidente? — repeti, aos gritos, segurando-o pelos ombros.

Ele se desvencilhou resolutamente das minhas mãos.

— O senhor está muito nervoso, amigo. Se esta informação o tranquiliza, é sua: nosso trem matou um animal.

— Obrigado — eu disse, num fio de voz.

Voltei-me, subitamente exausto e com vontade de chorar. Jane estava na porta no vagão, com um pé no estribo. Ao ver-me tentou pular para o chão e perdeu o equilíbrio, eu a segurei e a apertei contra mim.

— Meu Deus — disse ela —, eu cheguei a pensar, eu pensei...

— Eu também — eu disse.

Subimos.

— Escuta — tornou ela, ofegante —, como é teu nome? Incrível, ainda não sei teu nome.

Lá fora o funcionário ainda insistia com os curiosos: vamos para dentro, vamos para o trem. E o trem parado no meio do campo, o dia clareando, um frio cortante e nós avançávamos lentamente pelos corredores apinhados, em busca do carro-leito. Jane me tomara da mão e me puxava. Vendo-a assim, desenvolta, eu sentia que algo vicejava forte em mim, uma nova energia, uma vontade de viver, de conviver, compartilhar, e tinha certeza, uma certeza doce, cálida e total, de que agora ela pensava como eu, que valia a pena tentar ainda uma vez, que valia a pena dançar um tango em Porto Alegre. Que importava se era ou não era amor? Sempre, mas sempre mesmo, seria uma vitória.

O Autor

SERGIO FARACO nasceu em Alegrete/RS, em 1940. Nos anos 1963-1965 viveu na União Soviética, onde cursou o Instituto Internacional de Ciências Sociais, em Moscou. Mais tarde, no Brasil, bacharelou-se em Direito. Em 1988, seu livro *A dama do Bar Nevada* obteve o Prêmio Galeão Coutinho, conferido pela União Brasileira de Escritores ao melhor volume de contos lançado no Brasil no ano anterior. Em 1994, com *A lua com sede*, recebeu o Prêmio Henrique Bertaso (Câmara Rio-Grandense do Livro, Clube dos Editores do RGS e Associação Gaúcha de Escritores), atribuído ao melhor livro de crônicas do ano. No ano seguinte, como organizador da coletânea *A cidade de perfil*, fez jus ao Prêmio Açorianos de Literatura – Crônica, instituído pela Prefeitura Municipal de Porto Alegre. Em 1996, foi novamente distinguido com o Prêmio Açorianos de Literatura – Conto, pelo livro *Contos completos*. Em 1999, recebeu o Prêmio Nacional de Ficção, atribuído pela Academia Brasileira de Letras à coletânea *Dançar tango em Porto Alegre* como a melhor obra de ficção publicada no Brasil em 1998. Em 2000, a Rede Gaúcha SAT – RBS Rádio e Rádio CBN 1340 conferiram ao seu livro *Rondas de escárnio e loucura* o troféu Destaque Literário (Obra de Ficção) da 46ª Feira do Livro de Porto Alegre (Júri Oficial). Em 2001, recebeu mais uma vez o Prêmio Açorianos de Literatura – Conto, por *Rondas de escárnio e loucura*. Seus contos foram publicados nos seguintes países: Alemanha, Argentina, Bulgária, Chile, Colômbia, Cuba, Estados Unidos, Paraguai, Portugal, Uruguai e Venezuela.

LIVROS PUBLICADOS

Idolatria (contos). Alegrete: Cadernos do Extremo Sul, 1970.
Depois da primeira morte (contos). Porto Alegre: Bels, 1974.
Urartu (história). Porto Alegre: Editora da UFRGS, 1978.
Hombre (contos). Rio de Janeiro: Civilização Brasileira, 1978.
Manilha de espadas (contos). Rio de Janeiro: Philobiblion, 1984.
Noite de matar um homem (contos). Porto Alegre: Mercado Aberto, 1986.
Doce paraíso (contos). Porto Alegre: L&PM, 1987.
A dama do Bar Nevada (contos). Porto Alegre: L&PM, 1987.
O chafariz dos turcos (crônicas). Porto Alegre: L&PM, 1990.
O processo dos Inconfidentes (história). Petrópolis: Vozes, 1990.
Majestic Hotel (contos). Porto Alegre: L&PM, 1991.
A lua com sede (crônicas). Porto Alegre: L&PM, 1993.
Contos completos (contos). Porto Alegre: L&PM, 1995.
Gregos & gringos (crônicas). Porto Alegre: Mercado Aberto, 1998.
Dançar tango em Porto Alegre (contos). Porto Alegre: L&PM, 1998.
Rondas de escárnio e loucura (contos). Porto Alegre: L&PM, 2000.
Viva o Alegrete (crônicas). Porto Alegre: L&PM, 2001.
Lágrimas na chuva (memórias). Porto Alegre: L&PM, 2002.

Histórias dentro da história. Porto Alegre: L&PM, 2005.
O crepúsculo da arrogância. Porto Alegre: L&PM, 2006.
O pão e a esfinge seguido de *Quintana e eu*. Porto Alegre: L&PM, 2008.

Coleção L&PM POCKET (Lançamentos mais recentes)

943. **M ou N?** – Agatha Christie
945. **Bidu: diversão em dobro!** – Mauricio de Sousa
946. **Fogo** – Anaïs Nin
947. **Rum: diário de um jornalista bêbado** – Hunter Thompson
948. **Persuasão** – Jane Austen
949. **Lágrimas na chuva** – Sergio Faraco
950. **Mulheres** – Bukowski
951. **Um pressentimento funesto** – Agatha Christie
952. **Cartas na mesa** – Agatha Christie
954. **O lobo do mar** – Jack London
955. **Os gatos** – Patricia Highsmith
956.(22). **Jesus** – Christiane Rancé
957. **História da medicina** – William Bynum
958. **O Morro dos Ventos Uivantes** – Emily Brontë
959. **A filosofia na era trágica dos gregos** – Nietzsche
960. **Os treze problemas** – Agatha Christie
961. **A massagista japonesa** – Moacyr Scliar
963. **Humor do miserê** – Nani
964. **Todo o mundo tem dúvida, inclusive você** – Édison de Oliveira
965. **A dama do Bar Nevada** – Sergio Faraco
969. **O psicopata americano** – Bret Easton Ellis
970. **Ensaios de amor** – Alain de Botton
971. **O grande Gatsby** – F. Scott Fitzgerald
972. **Por que não sou cristão** – Bertrand Russell
973. **A Casa Torta** – Agatha Christie
974. **Encontro com a morte** – Agatha Christie
975.(23). **Rimbaud** – Jean-Baptiste Baronian
976. **Cartas na rua** – Bukowski
977. **Memória** – Jonathan K. Foster
978. **A abadia de Northanger** – Jane Austen
979. **As pernas de Úrsula** – Claudia Tajes
980. **Retrato inacabado** – Agatha Christie
981. **Solanin (1)** – Inio Asano
982. **Solanin (2)** – Inio Asano
983. **Aventuras de menino** – Mitsuru Adachi
984.(16). **Fatos & mitos sobre sua alimentação** – Dr. Fernando Lucchese
985. **Teoria quântica** – John Polkinghorne
986. **O eterno marido** – Fiódor Dostoiévski
987. **Um safado em Dublin** – J. P. Donleavy
988. **Mirinha** – Dalton Trevisan
989. **Akhenaton e Nefertiti** – Carmen Seganfredo e A. S. Franchini
990. **On the Road – o manuscrito original** – Jack Kerouac
991. **Relatividade** – Russell Stannard
992. **Abaixo de zero** – Bret Easton Ellis
993.(24). **Andy Warhol** – Mériam Korichi
995. **Os últimos casos de Miss Marple** – Agatha Christie
996. **Nico Demo: Aí vem encrenca** – Mauricio de Sousa
998. **Rousseau** – Robert Wokler
999. **Noite sem fim** – Agatha Christie
1000. **Diários de Andy Warhol (1)** – Editado por Pat Hackett
1001. **Diários de Andy Warhol (2)** – Editado por Pat Hackett
1002. **Cartier-Bresson: o olhar do século** – Pierre Assouline
1003. **As melhores histórias da mitologia: vol. 1** – A.S. Franchini e Carmen Seganfredo
1004. **As melhores histórias da mitologia: vol. 2** – A.S. Franchini e Carmen Seganfredo
1005. **Assassinato no beco** – Agatha Christie
1006. **Convite para um homicídio** – Agatha Christie
1008. **História da vida** – Michael J. Benton
1009. **Jung** – Anthony Stevens
1010. **Arsène Lupin, ladrão de casaca** – Maurice Leblanc
1011. **Dublinenses** – James Joyce
1012. **120 tirinhas da Turma da Mônica** – Mauricio de Sousa
1013. **Antologia poética** – Fernando Pessoa
1014. **A aventura de um cliente ilustre** *seguido de* **O último adeus de Sherlock Holmes** – Sir Arthur Conan Doyle
1015. **Cenas de Nova York** – Jack Kerouac
1016. **A corista** – Anton Tchékhov
1017. **O diabo** – Leon Tolstói
1018. **Fábulas chinesas** – Sérgio Capparelli e Márcia Schmaltz
1019. **O gato do Brasil** – Sir Arthur Conan Doyle
1020. **Missa do Galo** – Machado de Assis
1021. **O mistério de Marie Rogêt** – Edgar Allan Poe
1022. **A mulher mais linda da cidade** – Bukowski
1023. **O retrato** – Nicolai Gogol
1024. **O conflito** – Agatha Christie
1025. **Os primeiros casos de Poirot** – Agatha Christie
1027.(25). **Beethoven** – Bernard Fauconnier
1028. **Platão** – Julia Annas
1029. **Cleo e Daniel** – Roberto Freire
1030. **Til** – José de Alencar
1031. **Viagens na minha terra** – Almeida Garrett
1032. **Profissões para mulheres e outros artigos feministas** – Virginia Woolf
1033. **Mrs. Dalloway** – Virginia Woolf
1034. **O cão da morte** – Agatha Christie
1035. **Tragédia em três atos** – Agatha Christie
1037. **O fantasma da Ópera** – Gaston Leroux
1038. **Evolução** – Brian e Deborah Charlesworth
1039. **Medida por medida** – Shakespeare
1040. **Razão e sentimento** – Jane Austen
1041. **A obra-prima ignorada** *seguido de* **Um episódio durante o Terror** – Balzac
1042. **A fugitiva** – Anaïs Nin
1043. **As grandes histórias da mitologia greco--romana** – A. S. Franchini
1044. **O corno de si mesmo & outras historietas** – Marquês de Sade
1045. **Da felicidade** *seguido de* **Da vida retirada** – Sêneca
1046. **O horror em Red Hook e outras histórias** – H. P. Lovecraft
1047. **Noite em claro** – Martha Medeiros
1048. **Poemas clássicos chineses** – Li Bai, Du Fu e Wang Wei

1049. **A terceira moça** – Agatha Christie
1050. **Um destino ignorado** – Agatha Christie
1051(26). **Buda** – Sophie Royer
1052. **Guerra Fria** – Robert J. McMahon
1053. **Simons's Cat: as aventuras de um gato travesso e comilão – vol. 1** – Simon Tofield
1054. **Simons's Cat: as aventuras de um gato travesso e comilão – vol. 2** – Simon Tofield
1055. **Só as mulheres e as baratas sobreviverão** – Claudia Tajes
1057. **Pré-história** – Chris Gosden
1058. **Pintou sujeira!** – Mauricio de Sousa
1059. **Contos de Mamãe Gansa** – Charles Perrault
1060. **A interpretação dos sonhos: vol. 1** – Freud
1061. **A interpretação dos sonhos: vol. 2** – Freud
1062. **Frufru Rataplã Dolores** – Dalton Trevisan
1063. **As melhores histórias da mitologia egípcia** – Carmem Seganfredo e A.S. Franchini
1064. **Infância. Adolescência. Juventude** – Tolstói
1065. **As consolações da filosofia** – Alain de Botton
1066. **Diários de Jack Kerouac – 1947-1954**
1067. **Revolução Francesa – vol. 1** – Max Gallo
1068. **Revolução Francesa – vol. 2** – Max Gallo
1069. **O detetive Parker Pyne** – Agatha Christie
1070. **Memórias do esquecimento** – Flávio Tavares
1071. **Drogas** – Leslie Iversen
1072. **Manual de ecologia (vol.2)** – J. Lutzenberger
1073. **Como andar no labirinto** – Affonso Romano de Sant'Anna
1074. **A orquídea e o serial killer** – Juremir Machado da Silva
1075. **Amor nos tempos de fúria** – Lawrence Ferlinghetti
1076. **A aventura do pudim de Natal** – Agatha Christie
1078. **Amores que matam** – Patricia Faur
1079. **Histórias de pescador** – Mauricio de Sousa
1080. **Pedaços de um caderno manchado de vinho** – Bukowski
1081. **A ferro e fogo: tempo de solidão (vol.1)** – Josué Guimarães
1082. **A ferro e fogo: tempo de guerra (vol.2)** – Josué Guimarães
1084(17). **Desembarcando o Alzheimer** – Dr. Fernando Lucchese e Dra. Ana Hartmann
1085. **A maldição do espelho** – Agatha Christie
1086. **Uma breve história da filosofia** – Nigel Warburton
1088. **Heróis da História** – Will Durant
1089. **Concerto campestre** – L. A. de Assis Brasil
1090. **Morte nas nuvens** – Agatha Christie
1092. **Aventura em Bagdá** – Agatha Christie
1093. **O cavalo amarelo** – Agatha Christie
1094. **O método de interpretação dos sonhos** – Freud
1095. **Sonetos de amor e desamor** – Vários
1096. **120 tirinhas do Dilbert** – Scott Adams
1097. **200 fábulas de Esopo**
1098. **O curioso caso de Benjamin Button** – F. Scott Fitzgerald
1099. **Piadas para sempre: uma antologia para morrer de rir** – Visconde da Casa Verde
1100. **Hamlet (Mangá)** – Shakespeare
1101. **A arte da guerra (Mangá)** – Sun Tzu
1104. **As melhores histórias da Bíblia (vol.1)** – A. S. Franchini e Carmen Seganfredo
1105. **As melhores histórias da Bíblia (vol.2)** – A. S. Franchini e Carmen Seganfredo
1106. **Psicologia das massas e análise do eu** – Freud
1107. **Guerra Civil Espanhola** – Helen Graham
1108. **A autoestrada do sul e outras histórias** – Julio Cortázar
1109. **O mistério dos sete relógios** – Agatha Christie
1110. **Peanuts: Ninguém gosta de mim... (amor)** – Charles Schulz
1111. **Cadê o bolo?** – Mauricio de Sousa
1112. **O filósofo ignorante** – Voltaire
1113. **Totem e tabu** – Freud
1114. **Filosofia pré-socrática** – Catherine Osborne
1115. **Desejo de status** – Alain de Botton
1118. **Passageiro para Frankfurt** – Agatha Christie
1120. **Kill All Enemies** – Melvin Burgess
1121. **A morte da sra. McGinty** – Agatha Christie
1122. **Revolução Russa** – S. A. Smith
1123. **Até você, Capitu?** – Dalton Trevisan
1124. **O grande Gatsby (Mangá)** – F. S. Fitzgerald
1125. **Assim falou Zaratustra (Mangá)** – Nietzsche
1126. **Peanuts: É para isso que servem os amigos (amizade)** – Charles Schulz
1127(27). **Nietzsche** – Dorian Astor
1128. **Bidu: Hora do banho** – Mauricio de Sousa
1129. **O melhor do Macanudo Taurino** – Santiago
1130. **Radicci 30 anos** – Iotti
1131. **Show de sabores** – J.A. Pinheiro Machado
1132. **O prazer das palavras – vol. 3** – Cláudio Moreno
1133. **Morte na praia** – Agatha Christie
1134. **O fardo** – Agatha Christie
1135. **Manifesto do Partido Comunista (Mangá)** – Marx & Engels
1136. **A metamorfose (Mangá)** – Franz Kafka
1137. **Por que você não se casou... ainda** – Tracy McMillan
1138. **Textos autobiográficos** – Bukowski
1139. **A importância de ser prudente** – Oscar Wilde
1140. **Sobre a vontade na natureza** – Arthur Schopenhauer
1141. **Dilbert (8)** – Scott Adams
1142. **Entre dois amores** – Agatha Christie
1143. **Cipreste triste** – Agatha Christie
1144. **Alguém viu uma assombração?** – Mauricio de Sousa
1145. **Mandela** – Elleke Boehmer
1146. **Retrato do artista quando jovem** – James Joyce
1147. **Zadig ou o destino** – Voltaire
1148. **O contrato social (Mangá)** – J.-J. Rousseau
1149. **Garfield fenomenal** – Jim Davis
1150. **A queda da América** – Allen Ginsberg
1151. **Música na noite & outros ensaios** – Aldous Huxley
1152. **Poesias inéditas & Poemas dramáticos** – Fernando Pessoa
1153. **Peanuts: Felicidade é...** – Charles M. Schulz
1154. **Mate-me por favor** – Legs McNeil e Gillian McCain

1155. **Assassinato no Expresso Oriente** – Agatha Christie
1156. **Um punhado de centeio** – Agatha Christie
1157. **A interpretação dos sonhos (Mangá)** – Freud
1158. **Peanuts: Você não entende o sentido da vida** – Charles M. Schulz
1159. **A dinastia Rothschild** – Herbert R. Lottman
1160. **A Mansão Hollow** – Agatha Christie
1161. **Nas montanhas da loucura** – H.P. Lovecraft
1162. (28). **Napoleão Bonaparte** – Pascale Fautrier
1163. **Um corpo na biblioteca** – Agatha Christie
1164. **Inovação** – Mark Dodgson e David Gann
1165. **O que toda mulher deve saber sobre os homens: a afetividade masculina** – Walter Riso
1166. **O amor está no ar** – Mauricio de Sousa
1167. **Testemunha de acusação & outras histórias** – Agatha Christie
1168. **Etiqueta de bolso** – Celia Ribeiro
1169. **Poesia reunida (volume 3)** – Affonso Romano de Sant'Anna
1170. **Emma** – Jane Austen
1171. **Que seja em segredo** – Ana Miranda
1172. **Garfield sem apetite** – Jim Davis
1173. **Garfield: Foi mal...** – Jim Davis
1174. **Os irmãos Karamázov (Mangá)** – Dostoiévski
1175. **O Pequeno Príncipe** – Antoine de Saint-Exupéry
1176. **Peanuts: Ninguém mais tem o espírito aventureiro** – Charles M. Schulz
1177. **Assim falou Zaratustra** – Nietzsche
1178. **Morte no Nilo** – Agatha Christie
1179. **Ê, soneca boa** – Mauricio de Sousa
1180. **Garfield a todo o vapor** – Jim Davis
1181. **Em busca do tempo perdido (Mangá)** – Proust
1182. **Cai o pano: o último caso de Poirot** – Agatha Christie
1183. **Livro para colorir e relaxar** – Livro 1
1184. **Para colorir sem parar**
1185. **Os elefantes não esquecem** – Agatha Christie
1186. **Teoria da relatividade** – Albert Einstein
1187. **Compêndio da psicanálise** – Freud
1188. **Visões de Gerard** – Jack Kerouac
1189. **Fim de verão** – Mohiro Kitoh
1190. **Procurando diversão** – Mauricio de Sousa
1191. **E não sobrou nenhum e outras peças** – Agatha Christie
1192. **Ansiedade** – Daniel Freeman & Jason Freeman
1193. **Garfield: pausa para o almoço** – Jim Davis
1194. **Contos do dia e da noite** – Guy de Maupassant
1195. **O melhor de Hagar 7** – Dik Browne
1196. (29). **Lou Andreas-Salomé** – Dorian Astor
1197. (30). **Pasolini** – René de Ceccatty
1198. **O caso do Hotel Bertram** – Agatha Christie
1199. **Crônicas de motel** – Sam Shepard
1200. **Pequena filosofia da paz interior** – Catherine Rambert
1201. **Os sertões** – Euclides da Cunha
1202. **Treze à mesa** – Agatha Christie
1203. **Bíblia** – John Riches
1204. **Anjos** – David Albert Jones
1205. **As tirinhas do Guri de Uruguaiana 1** – Jair Kobe
1206. **Entre aspas (vol.1)** – Fernando Eichenberg
1207. **Escrita** – Andrew Robinson
1208. **O spleen de Paris: pequenos poemas em prosa** – Charles Baudelaire
1209. **Satíricon** – Petrônio
1210. **O avarento** – Molière
1211. **Queimando na água, afogando-se na chama** – Bukowski
1212. **Miscelânea septuagenária: contos e poemas** – Bukowski
1213. **Que filosofar é aprender a morrer e outros ensaios** – Montaigne
1214. **Da amizade e outros ensaios** – Montaigne
1215. **O medo à espreita e outras histórias** – H.P. Lovecraft
1216. **A obra de arte na era de sua reprodutibilidade técnica** – Walter Benjamin
1217. **Sobre a liberdade** – John Stuart Mill
1218. **O segredo de Chimneys** – Agatha Christie
1219. **Morte na rua Hickory** – Agatha Christie
1220. **Ulisses (Mangá)** – James Joyce
1221. **Ateísmo** – Julian Baggini
1222. **Os melhores contos de Katherine Mansfield** – Katherine Mansfied
1223. (31). **Martin Luther King** – Alain Foix
1224. **Millôr Definitivo: uma antologia de *A Bíblia do Caos*** – Millôr Fernandes
1225. **O Clube das Terças-Feiras e outras histórias** – Agatha Christie
1226. **Por que sou tão sábio** – Nietzsche
1227. **Sobre a mentira** – Platão
1228. **Sobre a leitura *seguido do* Depoimento de Céleste Albaret** – Proust
1229. **O homem do terno marrom** – Agatha Christie
1230. (32). **Jimi Hendrix** – Franck Médioni
1231. **Amor e amizade e outras histórias** – Jane Austen
1232. **Lady Susan, Os Watson e Sanditon** – Jane Austen
1233. **Uma breve história da ciência** – William Bynum
1234. **Macunaíma: o herói sem nenhum caráter** – Mário de Andrade
1235. **A máquina do tempo** – H.G. Wells
1236. **O homem invisível** – H.G. Wells
1237. **Os 36 estratagemas: manual secreto da arte da guerra** – Anônimo
1238. **A mina de ouro e outras histórias** – Agatha Christie
1239. **Pic** – Jack Kerouac
1240. **O habitante da escuridão e outros contos** – H.P. Lovecraft
1241. **O chamado de Cthulhu e outros contos** – H.P. Lovecraft
1242. **O melhor de Meu reino por um cavalo!** – Edição de Ivan Pinheiro Machado
1243. **A guerra dos mundos** – H.G. Wells